JN012204

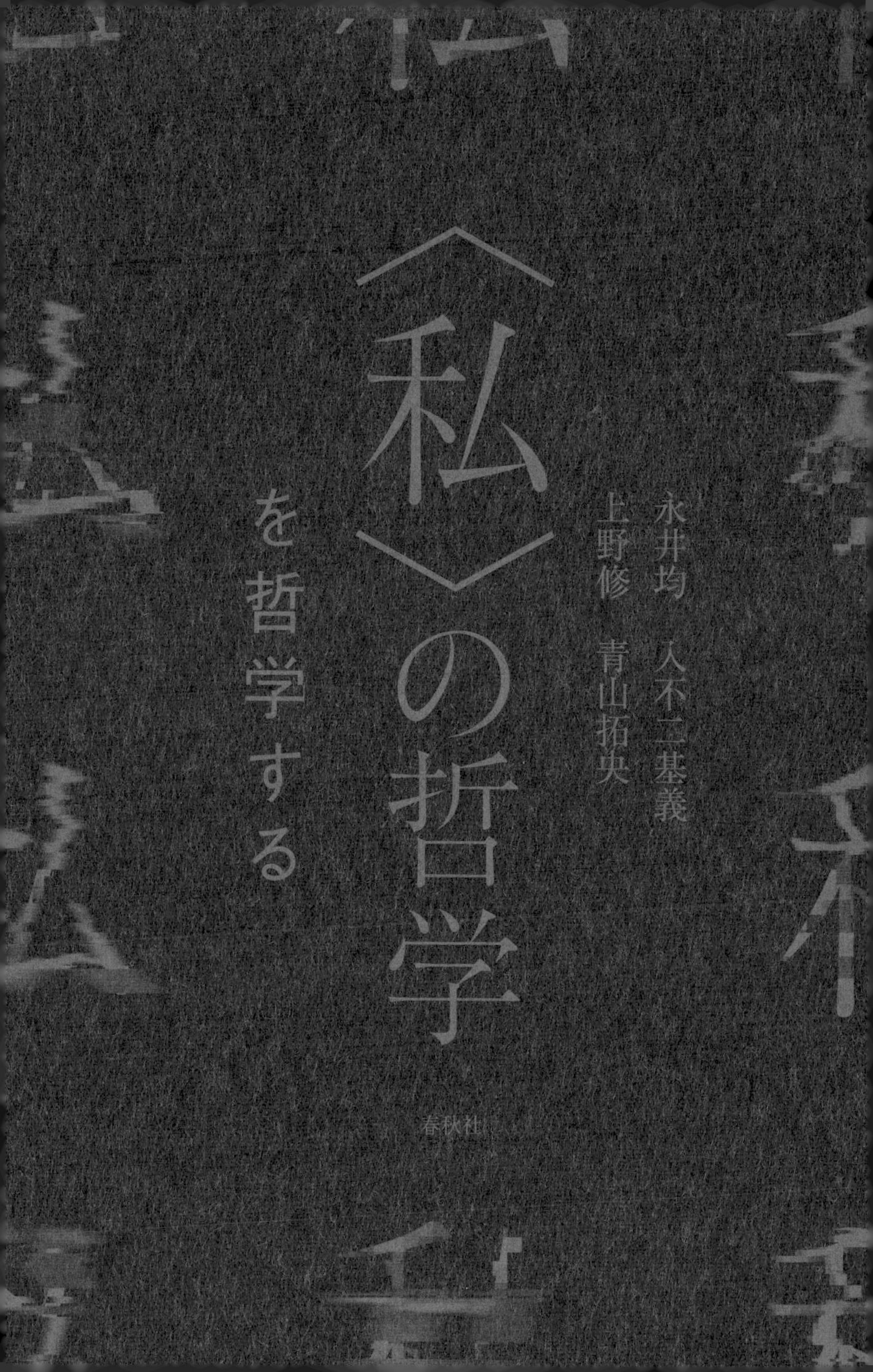
〈私〉の哲学
を哲学する
永井均　入不二基義
上野修　青山拓央
春秋社

「入不二提案」と「風間質問」の関係について——復刊の辞に代えて

1

本書は二〇一〇年一〇月に講談社から刊行された同名の著作の復刊である。もとの本がどのような経緯で成立したかにかんしては、上野修の「初版あとがき」にくわしいのでそちらを見てほしい。復刊の経緯について一言しておくなら、二〇二二年の三月に私の日本大学文理学部からの退職記念のワークショップが開かれ、その際の発表において本書に収められた議論が多く参照されたため、そのワークショップそのものの書籍化（『〈私〉の哲学　をアップデートする』としてまもなく春秋社から刊行される）に先立って、こちらも復刊していただくこととなった、という次第である。

その結果、私が復刊の辞を書くこととなったわけだが、この機会を利用して、もとの本が——正確にはその本に収められシンポジウムがだが——私自身にとってどのような意味をもったかを、その最大のもの一つに限って、確認しておきたいと思う。最大のものとは、入不二基義による私の「第〇次内包」という概念の二分割、すなわち「第〇次内包」と一括されていたものからの「無内包の現実性」という次元の剔抉である。ここではもっぱらその議論にのみ集中し、上野のラカンにかんする議論には最後にほんの少しだけ触れ、青山の提起した問題にかんしては、続いて出る予定の『〈私〉の哲学　をアップデートする』の「アフターソート」に委ねたいと思う。また私は、その『〈私〉の哲学　をアップデートする』の中で、入不二のこの提案を（『存在と時間――哲学探究1』の付録として収められている）「風間くんの質問＝批判」と結びつけて「風間質問・入不二提案」と呼び、永井哲学はその二つから出来ているのだが「その二つは実のところは同じことを言っている」とも言っているので、何故そういえるのかの説明をここでおこなうことになると思う。（というわけなので、これは冒頭に置かれるとはいえ、後の議論を前提にしているところも多いので、すでにその概要をご存知の方は別にして、少なくとも「序章」と「第Ⅰ部　入不二基義セクション」だけは先に読まれたほうがよいかと思われる。）

2

本書（に収められたシンポジウム）において入不二は、「永井の「第〇次内包」という表現の中には、……「感覚の認知の自立」の場面と、……「独在性」「現実性」の場面と、この両方が同居している」（五七頁）という指摘をおこなった。『なぜ意識は実在しないのか』の執筆時点において、私自身がなぜこの（最重要の！）区別に気づいていなかったのか、後から考えると不可解というしかない（なにしろそれは、私がすでに極めて高く評価していた風間くんの「質問＝批判」と「同じことを言っている」のだから)。しかし、それは個人的な問題にすぎない。私自身にとってを超えて、まったく客観的に見ても、これは真に画期的な発見であったと私は思う。この発見自体に私(永井)の哲学的探究を超える——そしておそらくは入不二自身の哲学的探究をも超える——普遍的な価値が内在していることを見抜くことが重要である。俗に「永井哲学」と呼ばれる主として私がおこなっている哲学的探究にはある客観的な哲学的価値があると思うが、それはほぼ全面的に入不二のこの発見(と風間惟彦の「質問＝批判」)に依存している。少なくともその側面こそが哲学的に最重要であることは疑う余地がない。

では、「感覚の認知の自立」の場面と「独在性」「現実性」の場面との違いとは何か。これはじつは極めて簡単なことである。痛みという感覚を例にとるなら、「感覚の認知の自立」とは、痛む箇所をおさえたり、痛みに呻いたり、そこから出血していたりといったこと(第一次内包)や、C線維やAデルタ線維のような神経線維が興奮するといったこと(第二次内包)から区別されて、痛みを感じることそのもの(第〇次内包)がそれ自体として捉えられること、を意味する。これに対して、「独在性」「現実性」とは、それが現実に起こるのはただ私にだけである——むしろ逆に現実に起こるのはそいつにだけであるからそいつが私だとわかるのではあるが——ということ、だけを問題にしている。この二つはまったく違う種類のことを問題にしている。痛みが起こるという事象にかんして、前者は、だれに起ころうとそれには関係なく、何が、どのように起こるのかだけを問題にしており、後者は、前者の分類をあてはめれば三番目の第〇次内包にだけ関係するとはいえ、それがじつはだれにだけ起こるかを、それだけを問題にしている。それは現実には私にしか起こらない(一般にだれにとってもその人自身にという意味での自分にではなく）といえるような意味での〈私〉というものの存在するということだけを、それは問題にしているわけである。

別の言葉でいいかえるなら、前者はタテ問題であり後者はヨコ問題である、といえる。ヨコ問題とは、タテ問題の観点から見ればまったく同型の者として区別されることなく扱われる人間たちのうちに一人だけ現実にはただそこからのみ世界が開けている唯一の原点が存在している！　という驚きから、あるいはその種の驚きから、すべての問題を考察していく問題意識のあり方のことである（そこでもし、だれだってその人自身にとってはそこからのみ世界が開けている唯一の原点ではないか、と問われるならば、そのだれだってのうちになぜか一人だけ現実にそうである者がいる、という現実にあくまでも注目していく問題意識のあり方のことである）。

しかし、その後の展開を鑑みるに、ひょっとすると私はここで、入不二の言ったことを誤解したかもしれないと思われる。私の理解した意味では、無内包の現実性は決してただたんに現に起こるというその「現に」性のことではない。現に起こるというだけのことなら、すなわち、その内容（中身）とは無関係にともあれそれが現実に存在する（生起する）というだけのことなら、それは当然、物体にも、他人にも、何にでも起こることであろう。私の意味での「無内包の現実性」は、その種のたんなる現実性ではなく、あくまでも中心性の現実性であり、前段落の最後の括弧内の表現を使っていうなら、だれでもそこから世界が開ける唯一の原点であること（すなわち複数の中心化された世界が存在しうること）を前提した上で、それらのうちになぜか一人だけ現実にそうなっている者が存在していること（すなわち中心化された現実世界が存在していること）だけを問題にしているのである。

しかし、かりにこれが誤解だったとしても、この誤解こそが、すなわち中心性と現実性のこの独特の結合こそが、真の問題なのである。それ以外に、そもそも一般的な意味での現実性をわざわざ問題として取り出す理由がどこにあるのか、私にはわからない。ここには非常に微妙な問題が隠されている。この問題の意味が伝わった際には、最初に捉えられた問題とは別のことが伝わらざるをえない（すなわち、言わんとすることが言えない）という構造がそこに内在しているのである。そしてまさにこのことこそが、アンセルムスの神の存在論的証明、デカルトのコギト・エルゴ・スム、カントの存在論的証明批判、ウィトゲンシュタインの語りえぬもの、マクタガートの時間の非実在性の証明、デイヴィッド・ルイスの可能世界の実在論、……、といった諸々の哲学的問題の核を貫く同型の問題であり、これこそが哲学そのもの（the philosophy）であるといえるほどのものなのである。

存在論的証明を例にとってその問題を一言で説明するなら（後に「風間質問」との関連でよりくわしく解説される）、もし神が現実に存在するなら、それは存在論的証明によってその存在が証明されてしまう神とは別のものであらざるをえない、ということであり、それと同じこと、同じ構造は、私、今、現実世界、についても言える、ということである。現実に存在する中心性へのこの原理的な言葉の届かなさ、概念化の不可能性、にもかかわらずそこにつきまとう概念化の不可避性、すなわち語りえぬものの圧倒的な現実存在とその対比構造それ自体の累進構造化こそが、この問題のアルファにしてオメガであることになったのである。私の哲学探究は、ここから開始されることとなった。

3

さて、では、この「入不二提案」は、「風間質問」とはどのような関係にあるのだろうか。正確に引用するならそれは以下のようなものである。「いま現実にはなぜか〈私〉である風間維彦が、かりに〈私〉でなくただの風間維彦という人であったとしても、〈私〉でないその風間維彦さんも、この現実と全く同じように「なぜ風間維彦が〈私〉なのか」と問うであろうから、風間維彦は〈私〉でないことはありえないのではないか？」。断っておかねばならないが、これもまた私が解釈した限りにおける風間の「質問＝批判」であって、最初から誤解である可能性はある。風間は入不二と異なり原文を公開していない（そもそも書いていない）から、それはもはや検証できない。しかし、入不二の場合と同様、かりにこれが誤解であったとしても、ここで提起された問題こそが破格に重要なのである。（当然のことながら、入不二提案の場合と同様、ここにはある微妙な問題が含まれており、この問題の意味が伝わった際には、最初に捉えられた問題とは別のことが伝わらざるをえない（すなわち、言わんとすることが言えない）という構造が内在しているわけだが、そのことはこのすぐ後に別の仕方で説明されることになる。）

『存在と時間——哲学探究1』においては、続けて私はこう言っている。「彼のこの問いに対する私の応答を、「風間維彦」を「永井均」に置き換えて表現するなら、それはこうなる。「その永井均さんも言葉のうえでは現実の私と同じく「なぜ永井均が〈私〉なのか」と問うであろうが、それは私が現在問うている（字面の上では全く同じ）問いと実は同じ問いではない。なぜなら、まさにその違いこそがこの問いで問われていることそのものなのだから。そして、存在論的証明にも、可能世界にも、A系列にも、みな全く同じことがいえる。これが私の哲学的主張である。

これはまさしく「現実性」の問題、2で説明した意味での「無内包の現実性」の問題である。そして、「いま現実にはなぜか〈私〉である永井均が、かりに〈私〉でなくただの永井均という人であったとしても、〈私〉でないその永井均さんも、……」という問いを立てることは、たしかに可能なのだ。ここで第一の問題は、しかしその可能性は、それ自体が概念化・一般化されうる、ということである。まさにそれだからこそ、この問題は一般的な問題として、皆で共有するということができるのである。その意味では、「その永井均さんも言葉のうえでは現実の私と同じく「なぜ永井均が〈私〉なのか」と問う」のであれば、「それは私が現在問うている問い」と（たんに字面の上ではなく）同じ問いである、ともいえるのだ。この側面が存在し、それこそが言語（ロゴス）を初めて可能ならしめていることを決して忘れてはならない。そして第二の問題は、これに反して、「いま現実にはなぜか〈私〉である永井均が、かりに〈私〉ではなくなって、ただの永井均という人になったとしても、〈私〉でないその永井均さんも、……」という問は立てることができない、ということである。いま現実にはなぜか〈私〉である永井均が、永井均であるままで〈私〉でだけなくなる、ということはできない。それと相関的に、いま現実にはなぜか〈私〉でない人が、その人であるままで〈私〉にだけなることはできないのだ。この側面が存在し、それこそが世界（コスモス）を可能ならしめていることも決して忘れてはならない。ここには超越論的構成の問題が介在するのであり、この問題については最近出た『独在性の矛は超越論的構成の盾を貫きうるか』で詳論しているので、詳しく知りたい方はそちらを参照してほしい。このような〈私〉の概念化と〈私〉の持続の二経路を通じて、ヨコ問題はタテ問題に繋げられる、というよりもむしろタテ問題という問題構成がはじめて可能となるのだ。そのことによって、われわれの共通世界――抽象的な共通世界と具体的な共通世界が――出来上がるのである。その連結点（正しくは出発点）となるのが第一次内包と第〇次内包であり、それらは世界構成の現場の模様を表現しているといえる。

『存在と時間――哲学探究1』においては、さらに続けて私はこう言っている。「存在論的証明とは神概念が存在概念を含むことによる神の存在の証明だが、それが証明にならない理由は、「その永井均さんも言葉のうえでは現実の私と同じく「なぜ永井均が〈私〉なのか」と問うであろうが、それは私が現在問うている（字面の上では全く同じ）問いと実は同じ問いではない」理由と全く同じである。すなわち、「存在論的証明をする人も言葉のうえでは「神は存在する」と言うだろうが、それは現に存在しているあの神を指して言われる場合の「神は存在する」と同じ意味ではない」からである。」（三三一頁）。そして、諸可能世界がそこの住人にとっては現実世界であってもやはり現実世界でない理由も、諸現在がその時点にいる人にとっては現在であっても本当の現在でない理由も同じである、という意味のことが言われている。

しかし、もちろん、ここでもやはり、われわれの世界構成の方針に従うなら、そうとばかりは言えないのだ。すなわち、存在論的証明によって存在証明されるような「神」しか、そもそもわれわれは共通に持つことができない、ともいえるからである。「現実世界」や「現在」についても、すべてにかんして同型のことがいえる。だからこそ、可能世界の実在論や時間論におけるB系列論にも十分な根拠があるわけである。そこに、われわれの世界構成の秘密が隠されている。私は大略このようなことを「入不二提案」から学ぶこととなった。

4

最後に、ほんの少しだけ、上野のラカンに触れておきたい。上野は「永井の「開闢」がラカンの言う主体の設立と無縁であるとはどうしても思えない」（一〇一頁）と言っている。しかし、それは「開闢」の意味の誤解でなければならない。主体の設立にかんするラカンの理論は、主体一般にあてはまることを意図されている以上、それは明々白々なことだといわねばならない。それが「無縁でない」のは、じつは「開闢」とではなく、その次に来る概念化や持続のプロセスと、であろう。開闢それ自体は、それがいかにして「私」という語で指されうるものとなるかといったことにかんするいかなる理論とも、まったくなんの関係もない（それらの理論はどれも主体一般に当てはまることを意図されており、開闢はそのうち一つだけにあることを問題にしているのだから、これは当然のことだろう）。そのまったく関係なさにこそ「無内包の現実性」の真骨頂がある。

とはいえ、その点だけで捉えるならば、例えば自己意識にかんするカントの理論にかんしても、まったく同じことがいえるだろう。それもまた、主体一般にあてはまる一般理論にすぎないからである。しかし、ラカン理論はカント理論よりもさらに分が悪い。なぜなら、ラカンの理論は事実問題についての理論だからだ。それは、人間という動物の現実はこのような仕組みで成り立っている、と言っているにすぎない。その意味で、精神分析学もまた科学にすぎないのである。対して、カント理論は科学ではない。カントは「（人間という動物の現実は）このような仕組みで成り立っている」と言っているのではなく、「（およそ理性と感性を備えた存在者は本質的に）このような仕組みで成り立っていざるをえない」と言っているわけだ。〈私〉が概念的に一般化され時間的に持続するようになる際に起こることにかんして知るべきことは、その際に現実に起こることではなく、そうであらざるをえないことでなければならない。すなわち、開闢から現状にいたるためには原理的にどういう仕組みが働かざるをえないいかであって、現実にどういう仕組みが働くかではない。

この問題にかんしてラカンの議論を役立てるためには、彼が具体的にこうなっていると言っている箇所をすべて、こうであらざるをえないと言い換えられるように抽象化していく必要があるだろう。上野もまたデイヴィドソン理論と接続することでそれを試みているとはいえるが、それはラカン理論からその固有の価値を奪うことにならざるをえないのではあるまいか（よほどうまくやれれば別だが、それは途方もなく難しい仕事で在るように思われる）。カントに関連づけて表現するなら、例えばラカンが「母」と「父」の対比で表現していることは、すべてその固有の意味を剝奪されて、「概念（悟性）」と「直観（感性）」へと翻訳される必要があるだろう。そのうえ、たとえそれが成功したとしても、そこだけ取り出すなら、それはあくまでも主体の成立にかんする一般理論にすぎず、〈私〉の存在の問題とは、すなわちまさに無内包の現実性の問題とは、ほんの僅かの繫がりさえもないといわざるをえない。無内包の現実性の問題と直接の繫がりをもつのは、その見かけに反して、ラカンのような種類の議論ではなく、たとえばアンセルムスやアンセルムス批判者としてのカント、マクタガートやデイヴィッド・ルイスのような人々の議論なのである。これが、私が「風間質問」と「入不二提案」から学んだことであった。

永井　均

〈私〉の哲学

を哲学する

目次

▶ 序章

問題の基本構造の解説

永井均

はじめに

一般に哲学の解説書は、忠実であればあるほど、あるいはそうあるべきことを意図していれば意図しているほど、面白くない。理由はたぶん、何かを解説しようという姿勢が哲学することの本質に反するからだろう。それでは、自己解説ならどうだろうか。と考えて、私が私自身のこれまでの哲学的思考をなるべく人に分かりやすく解説しようとしてみると、どうしてもそういう姿勢に立てないことに気づく。思い出して分かりやすく伝えようとすると、立ち現れた記憶像は、たちどころに現在の思考に汚染されて、別のものに変様してしまう。というよりはむしろ、正確に思い出すということ自体がそもそもできない、と言うべきだろう。あるいは、「正確さ」の意味そのものが通常とは変わってしまうというべきかもしれない。

以下で試みるのは、そのような意味での、つまりきわめて独特な意味できわめて正確な、「永井哲学」の解説である。それはすでに、ここでの入不二、上野、青山の議論を知った後に書かれているにもかかわらず、そこで批判的議論の対象となっているものを解説するという役割を負って書かれている。

1　世界にこんなにたくさんの人がいるのに、なぜこの人が私なのか？

世界にこんなにたくさんの人がいる（し、これまでもいたし、これからもいるであろう）のに、なぜこの人が私なのか？　これが私の最初の問題であった。このことは私にはたいへん不思議なことに思われた。しかし、この言い方は正確ではないようだ。この言い方だと、たくさんの人の中からある特定の人が選ばれていることの不思議さが、つまりその偶然性（確率の低さという意味での）が問題にされているように理解する人がいるらしいからだ。もちろん、私はそんな理解のしかたがあろうとは夢にも思わなかった。私を捉えたのは確率の問題ではなく存在の問題であった。

　私は、そもそも私という（他の人間とはまったく違う在り方をした）きわめて特殊な人間が、より正確にいえば、私という（他のものとはまったく違う在り方をした）きわめて特殊なものが、存在することに驚いたのである。そもそもそんなまったく異質なものがどうして存在できるのか？　（進化生物学や神経生理学や……はその存在を説明できるのか？）　そして、そういうまったく異質なものが存在するとは、じつのところは、何が存在することなのか？　これが私の問いであった。（もちろん、この言い方はこの言い方で、また別種の誤解を生む可能性があるだろう。あらゆる誤解の可能性を最初からすべて遮断して出発することはできない。しかし、この後者の言い方なら、前述の誤解は防ぐことができるであろう。）だから、人間（あるいは存在者）のうちの一人（一つ）が必ず私であることがはじめから決まっているなら、この問題は生じないことになる。[1]

　長ずるに及んで、すなわち哲学の「て」の字を知ったころ、この問いが、しばしば近代哲学の祖と称せられるデカルトの議論と似ている（ように少なくとも見えるらしい）ことを知った。周知のように、デカルトは森羅万象を疑って、最後に疑うことのできないものとして「私の存在」に到達した。

だが、私は、他のすべてのものの存在は疑いうるが私の存在だけは疑いえない、などと感じたことはなかった。私の存在だけは絶対確実だが、それに比べれば他者の存在は確実性が劣るなどとも思わなかった。そうもいえると思ったのは、デカルトの省察を知った後である。デカルトと私は根本的に違っていた。私にとって〈私〉とは、その存在が疑いうるか疑いえないかが問題なのではなく、とにかく事実として存在していることの方が問題であるようなあるものであった。私は、認識の確実性を求めてその存在に到達したのではなく、むしろその存在の例外性に驚いたのである。（しかし、それにもかかわらず、私の問いとデカルトの問いとはじつは繋がっているのではあるまいか？　もしそうだとすれば、それはなぜだろうか？）

もっと長ずるに及んで、すなわち職業哲学者の途を選んでそのための勉強を開始してから、私は、私の元来の問いと並行した、しかしある意味ではより深いとさえ言いうる、ある別の問題に直面することになった。

その最初のきっかけは、この問題を理解せず、別の問題と取り違える人がいることにあった。誤解は二種類に大別された。第一の誤解は、この問題を、（永井均と名づけられた）その特定の人間が存在するのはどうしてなのか、という問題だとみなした。第二の誤解はこの問題を、人間（あるいは一般に存在者）に自己意識（あるいは自我）が成立するのはどうしてなのか、という問題だとみなした。もちろん、どちらも私が疑問に感じたことではなかった。そうした誤解がどのように生じるかについては、これまでにも論じたことがあり、また本質的な重要性を持たないので、ここではくりかえさない。

論じるべき問題は、じつは、その正反対のところにあった。それは、私の提起した問題を別の問題と取り違えず、正しく理解する人がいるのはどうしてなのか、という問題であった。どうして、そんなことが可能なのか？　実際、これはたいへんに不思議なことだといえる。なぜなら、私は私であるというきわめて特殊な（他の人間とまったく違う）在り方をした人間が存在することを問題にしたのであった。それが存在するとは、いったい何が存在することなのか、と。さて、この問いはひとに伝えることができる問いであろうか？　この問いの意味を、私でない（ということは、そういう特殊な在り方をしてはいないということではないか？）人間が理解するとは、どういうことだろうか。これは、ことの本質上、ひとに理解されることがありえない問いなのではあるまいか？　理解されたなら、問いは意味を変えてしまうのではないか。言語は、この問いを（そしてこの問いだけは）伝えることができないように出来ているのではあるまいか？

この問題を考えているとき、同じ問題が上述のデカルト風の議論にも当てはまることに気づいた。デカルトは、疑いうるものはすべて退けていこうとして、どうしても疑うことのできない最後のものとして、「私の存在」に到達したのであった。だが、この議論は、ひとに伝わったときにはその意味を変えてしまわないだろうか？　誰でも、疑いうるものをすべて疑おうとしても、どうしても自分の存在だけは疑うことができませんよ、という意味に。（デカルトの場合は、はじめからそう言っていたと解釈することもできる。「コギト・エルゴ・スム」には二様の解釈が可能なのである。）しかし、そうだとするとデカルトは、彼自身以外の人もまた（各自にとっての）自分の存在だけは疑えないということを、なぜすでに知っているのだろうか？　他人の自分なんて、疑いうる「森羅万象」のうちの一部である、どころかその最たるものではないのか？[2] 他者は見かけ上は完全無欠に存在していてもなおゾンビである可能性があるから、物体以上に「疑わしい」存在ではないのか？[3]

デカルトの議論は二様の解釈が可能である。対して、私の問題は違う。私の問題には、デカルトの解釈の場合の「誰でも」のほうの解釈の余地はない。それはそもそも、そのなさについての問いだからである。私の問題は、デカルトの議論と共通の要素のうちから、「誰でも」のほうの解釈の余地を残さない要素を抽出することから成り立っており、その際、そこで主導的な役割を演じた懐疑や確実性の理念もまた最も本質的なものではなくなっている。[4]

それではなおのこと、私の問題が他者に理解されるとはどういうことなのか？　それが他者に理解されるとき何が起こっているのか？　私はこの問題に、『〈子ども〉のための哲学』や『〈私〉の存在の比類なさ』以来、その後の『なぜ意識は実在しないのか』において「累進構造」と名づけた議論によって答えようと試みてきた。現在の私の見解では、これはロゴス（理性・論理・概念・理由・等）という最も根源的な意味における言語の本質そのものにかかわる問題であり、これが私の哲学の第一の最も主要な部分である。

2　分裂と転移の思考実験

しかし、その最も主要な部分については3で論じることにして、その前にもう一つの主要な部分について論じておきたい。かつて私は、この問題を人に説明する際に、しばしば分裂と転移の思考実験について語った。前者は、私が二人の人間に分裂する場合を考える思考実験であり、後者は、私が他の人間になる場合を考える思考実験である。これらの思考実験は、そもそも何を考えようとしているのだろうか。

分裂のケースは、「私と完全にそっくりな人は必ず私か?」という問題を考察しており、転移のケースは、「私とまったく違う人が私でありうるか?」という問題を考察している。

この二つの考察は、人間(という世界の中に存在する客観的存在者)のもつ性質の違いによって、どれが私でどれが私でないかが決まることはない、ということを示すためのものである。したがって、もしこの考察が正しければ、どれが私であるかを決定するのは、文字通りの意味でメタ・フィジカル(形而上学的)な何かであることになる。[5]

① 分裂の場合

分裂にかんしては、この思考実験はほぼ完璧に成功するとみなしてよい。「私とまったくそっくりな生き物は必ず私か?」という問いには、はっきりと否定的に答えることができる。私でないことは可能であるどころか、分裂の場合には、一方に関して必然でさえある。[6] 私が二人の人間に分裂した場合、分裂直後の二人は、見えている風景といった非本質的な瑣末な違いを除けば、まったく同じ諸性質を持ち、記憶のすべてを含めてほぼ同じ状態にある。つまり、空間的位置(とそれにともなう知覚状況)を除けば区別のつかない、性質的にほぼ等しい存在者である。にもかかわらず、その時点で一方が私なら、他方は私ではなく他人である（という最も根本的な違いがそこに生じうる）。

一方が私であり、他方は私でなく他人であるとは、一方の目からは現実に世界が見えているが、他方の目からは見えておらず、一方の体が殴られると現実に痛いが、他方の体は殴られても痛くはなく、一方の体は現実に動かせるが、他方の体は動かせない、というような違いを意味する。ここに登場する「現実に」という語が、後のシンポジウムで盛んに話題になっている「現実性」であり、入不二氏の言うところの「無内包」に関係している。

ここに、すでにしてきわめて微妙な問題が隠れていることを見て取るのはたやすい。なぜなら、一方の目からは現実に世界が見えているが、他方の目からは見えていない、等々、と言ったところで、その他方の人の観点に立っても同じことが言えるはずだからである。しかし、その他方の人の観点は、もうすでに現実に現実ではないのだ。現実に私であるのは、なぜかもう一方の方だけであったからである。もちろん他方の人は、その逆のことを言うであろうし、私の訴えと彼の訴えは、第三者の観点からは対等のものと受け取られるであろう（ここにすでに言語（ロゴス）の力による「現実性」の累進構造がはたらいている）。

客観的に見ればどちらも同じ人間（私の場合なら二人とも永井均）なのに、一方は私であって他方はそうではない。これはどのような種類の事実なのだろう？　先ほどは、一方の目からは現実に世界が見えている、等々、といった言い方で答えたが、そのことは厳密には何を意味しているのだろう？　その「現実性」とは実のところは何であろうか？　それの有無はなぜ「最も根本的な違い」なのであろうか？

この問いに、こう答えることもできるだろう。一方が私であって他方はそうではないとは、一方はすべてであって他方はそのごく小さな一部分にすぎないということだ、と。[7] だからこそ、その違いはあまりにも明白であり、しかも「最も根本的な違い」なのだ、と。実際、ある意味では、私に見えるもの、私に感じられるものはすべてである。それが消滅すれば——世界内の一対象が消滅するのではなく——すべてが消滅することになる。[8] 見られ感じられる一対象でしかない他人は、私である人間と性質的にまったく同じ人間であっても、そのすべての一部にすぎないからだ。逆に言い換えれば、そのすべてをすなわち私であるとみなすという捉え方が可能で、そういう捉え方が理解できるからこそ、ここで論じられているような問題が理解できることになるだろう。ウィトゲンシュタインの「何が見えていようと、見ているのはつねに私である」とは、この水準で理解されるべき言葉であり、それゆえ、そこにいわゆる自己意識が生じているか否かといったことは、この問題とは典型的に関係ない。反省的な自己意識が生じていようといまいと、「私」という自覚があろうとあるまいと、そういう種類の二次的事実には関係なく、「見ているのはつねに私」だからだ。[9]

さて、ここで二つの問題が持ち上がる。

第一の問題は、もしそうであるなら、分裂など起きなくても、いつでもそれが起きることは可能ではないか、という問題だ。上述のような分裂の思考実験が成り立つなら、分裂した瞬間に私であった方が死ねば、そこには私そっくりの他人が残されることになるだろう。もしそれが可能な事態であるのなら、分裂など起きなくても、いま私であるこの人は、彼がこれまで持続的に持っていた諸性質を持ち続けたまま、ただたんに私でなくなり、世界は（私が私であるその人間の死亡とともにふつうに死んだときと同じように）その世界を開く中心を失うことができることになる。その世界には私は存在せず、ただこれまで私だった人とそっくりのもはや私でない人が存在し続けることになるだろう。もしそうであるなら、次の瞬間**それ**が起きるかもしれない。こいつが私であることに何の根拠もない以上、いつそれが失われてもおかしくないだろう。

だが、もしそうなら、逆の可能性も考えられることになるだろう。私はじつはいま生まれたばかりである、という可能性である。これは、私である人間（つまり永井）がいま生まれたばかりであるという意味ではなく、また、世界がいま生じたばかりという意味でもない。考えられているのは、世界も永井ももともと在ったのだが、いまこの瞬間、そいつは〈私〉になった、という可能性である。この問題は、次の転移の問題と実質的に同じ問題なので、②で考えよう。

第二の問題は、この問題は**誰にでも**理解可能な問題なのだろうか、という問題である。もしそうでなければ、この思考実験が問題の説明として機能することはないだろう。しかし、もしそうであれば、この思考実験はそれが説明しようとしていることとは違うことを説明してしまっていることになるだろう。ここに現れているのは、「私の問題が他者に理解されるとはどういうことなのか？」という、先ほど提起した問題と同じ問題である。すなわちそれは、ことの本質上、ひとに理解されることがあってはならない問いなのではあるまいか、理解されたなら、問いは意味を変えてしまうのではあるまいか、という問題である。これについては、3で議論しよう。

② 転移の場合

転移とは、私が他の人間になる場合を考える思考実験である。これは、「いま私である人間とまったく違う人間が私でありうるか」という問題を考察する。

原初的には、それはありうることになる。私は、永井均でなく、たとえば鳩山由紀夫であることができた。だから、現実に、私が鳩山ではなく永井であることは、偶然である。私は永井でなくたとえば鳩山であることが可能であった。そう考えることができるし、またそう考えなくてはならない。なぜならば、そう考えないと、私が存在しているということの特殊な意味が、その特殊性にふさわしい仕方で理解できなくなるからである。

この意味で私が鳩山由紀夫であるとはどういう状況かといえば、それは、鳩山の目からは現実に世界が見えているが、永井などそれ以外の（目を持つ）生き物の目からは現実には何も見えておらず、鳩山の体が殴られると現実に痛いが、それ以外の体が殴られても現実には痛くも痒くもなく、鳩山の体は現実に動かせるが、それ以外の体は外側から鳩山の体を使って間接的にしか動かせない、というような状況である。あるいは、世界内の一人物にすぎない鳩山がなぜかある意味ではすべてでもあって、それ以外の事物や人物はそれの一小部分でしかない状況である、と言ってもよい。そして、現実はなぜかそうなっていないが、そうであることもまた可能ではあったとはいえるし、いえるのでなければならない、のであった。

だが、現実には（なぜか）永井であった私が、これから鳩山由紀夫になることは、それにもかかわらず、できない。それは不可能なのである。なぜだろうか？

　いま、私が鳩山になったとしよう。おお！　鳩山の目からだけ、現実に世界が見える（それ以外の生き物の目からは何も見えない）！　鳩山の体だけ、殴られると現実に痛い（それ以外の体は、殴られても痛くも痒くもない）！　鳩山の体だけ、現実に動かせる（それ以外の体は外側から鳩山の体を使って間接的にしか動かせない）！　そしてもちろん、ずっと鳩山であり続けてきた記憶が、それだけが現実の記憶として存在しているのだ！　この状況は、もちろん、世界内の一人物にすぎない鳩山がなぜか世界そのものを開いているような状況、ある意味ではそれがすべてである状況、といってもよい。だから、現実に私は鳩山なのだ。しかし、それでおしまいである。いまそうなったという事実はどこにも存在しない。私はこれまでどおり鳩山で、鳩山はこれまでどおり私である。

　いまそうなったという事実を示す痕跡は、いま現に鳩山である私自身の心の中を含めて、その世界のどこを探しても、ない。もしあったら、たとえばもし鳩山である私が永井であったときの記憶をなおも保持していたら、私は完全に鳩山になったとはいえない。私が完全に鳩山になったのであれば、「なった」といえるすべての痕跡は消え去り、したがって「なった」という事実そのものが消え去る。ここで私は、「もともと鳩山であった」ことになったのであり、したがって今は、（もともと）ただ鳩山であるのでなければならない。「なった」が登場する場は、その移行を捉えうる視点は、世界の内部には存在しない。この変化は、世界そのものの「変化」なので、原理的に、世界の内部に痕跡を残すことができないのである。

　しかし、それはなぜだろうか？　それはおそらく、神の世界創造に相当することがここで起こっているからだ、というのが、私が『私・今・そして神』で与えた答えであった。B・ラッセルの五分前世界創造説と同じことが、ここでは起こるのである。五分前世界創造説とは、世界はじつは今から五分前に（過去の事実を証拠立てるすべてとともに）創造された、という説である。実際にそうであったとしても、そうでなく世界は昔からふつうに存在したとしても、現在の世界にいかなる相違ももたらさない。世界が過去を証拠立てるすべてとともに五分前に創造されたのであれば、「五分前に創造された」といえるすべての痕跡は消え去り、したがって「五分前に創造された」という事実そのものが消え去る。想定上、世界は、「昔からふつうに存在した」ことに五分前になったのではあるが、この「なった」が有効にはたらきうる場所は世界の内部にはもはやない。この「変化」は原理的に痕跡を残すことができない「変化」なのである。[11]

　ここに示されているのは、「なる」ということが成り立つためにはある条件が必要だ、ということである。世界の内部での変化であると認められるためには、まずは同じ一つの世界を成り立たせるための条件が必要であり、変化はその条件の内部での変化であらざるをえないのである。そういう条件はふつう「超越論的な」条件と呼ばれる。そこで重要なことは、（ここでその点を詳述している余裕はないが）同じ一つの「現実世界」が持続するといえるための条件と、同じ「私」が持続するといえるための条件とは、不可離な仕方で結びついているということである。これこそが、カント『純粋理性批判』（に始まる超越論哲学）の決定的な洞察である。この洞察はまた、ここで述べられているような意味での「私」は、世界内の特定の人物の持続を離れては持続することができないという、カントのもう一つの見解と不可離に結びついている。「どれが私であるか」にかかわる変化は、「どれが現実世界であるか」にかんする変化（ライプニッツ風にいえば、神がその意志によって諸可能世界の中から特定の世界を現実世界として選び出す段階の変化）なので、（選び出された）その世界の内部にはいかなる痕跡も残すことができないのである。だから、それは変化ではない！　魂が死後に存続しえない等々の問題は、このことの示す一帰結にすぎない。[12]

だがしかし、私が鳩山になるという想定がすぐさま阻却されるのは、鳩山が現実に私である人間（すなわち永井）と同一の世界に住んでいる実在の人物だからであって、そうでない場合には事情が違ってくる、と思われるかもしれない。たとえば、『マンガは哲学する』の第三章の5で、諸星大二郎の「夢みる機械」に関して論じたように、これから夢みる機械に入るケンが、「ぼくはこれからイタリア人のサッカー選手になるぞ」と考えたとしても、それは必ずしも不合理な思考だとはいえない。今のケンとこれからなるイタリア人のサッカー選手との間にはいかなる内的な繋がりもない（なった後は単にもともとサッカー選手だったことになる）としても、である。ここでケンの思考の合理性を支えている条件は、自分がイタリア人のサッカー選手であるような夢[13]を作り出すのに彼の脳が使われるという外的条件と、ケンが消滅してイタリア人のサッカー選手が誕生するその時点が特定できるという、その外的条件に支えられた時点の特定可能性条件であろう。[14]したがって、ケンは、ある時点までは、ケンの眼からだけ現実に世界が見え、ケンの体だけ殴られると現実に痛く、ケンの体だけ現実に動かせたのに、その後、そのサッカー選手の眼からだけ現実に世界が見え、そのサッカー選手の体だけ殴られると現実に痛く、そのサッカー選手の体だけ現実に動かせるように変わる、と考えたことになる（先ほどの鳩山の例ではいつ鳩山になったのか時点の特定ができない点に注意せよ）。この思考を支えているのは、（サッカー選手世界をその内部に含むことが科学的に保証された）ケン世界の側の実在性である。この思考実験にもまた、カント的な意味で、むきだしの「魂」が持続しえないことが示されているといえる。

先ほど想定した「〈私〉はじつはいま生まれたばかりである」という可能性についても、以上とまったく同じことがいえる（これはむしろ鳩山ケースに近いだろう）。各自考えていただきたい。ところが、その逆の「いま〈私〉であるこの人が、これまで持っていた諸性質を持ち続けたまま、ただ単に〈私〉でなくなる」という可能性の方は、必ずしもそうではない。これは、前者と同じ意味で不可能とはいえないのだ。明日、ただ単に〈私〉でなくなった永井は、それ以外の点は何も変わらずに、〈私〉についての永井の哲学を語り続けるだろう。しかし、彼はもはや〈私〉でないことが可能なのである。どうしてだろうか。

過去向きに考えるかぎり、現在の私の記憶があり、それが他者たちの証言等々の客観的証拠と一致すれば、過去の私が本当に〈私〉であったか、などという問いは意味がない。どちらであろうと実質的な差異はないからである。しかし、未来向きにはそうでない。未来向きに考えるならば、現在の私の予期がどうであろうと、またそれが未来の他者たちの証言等々の客観的証拠と一致しようとしまいと、未来の私が本当に〈私〉であるかどうかは、さらに付け加えられるべき別の要素だからである。なぜなら、現在は未来の実在性を構成することができず、未来の新たな〈今〉は、現在のこの〈今〉に統合されないからである。この違いは微妙だが決定的である。すなわち、過去は物体に近く、未来は他者に近い。物体についてなら、見られて触（さわ）れて舐（な）めて味がすれば（さらに他者も同じことができれば）実在するといえるが、他者については、見られて触れて舐めて味がしても、なおゾンビである（じつは「他者」ではない！）可能性がある。すなわち、主体（現在）への吸収のされなさが一段深いのである。[15]

ここでは、これらの点についてこれ以上くわしく論じることはできない。ともあれ、この方面の議論が私の哲学の第二の主要な部分を形成している。

3 現実性とその累進構造

概念（悟性）と直観（感性）の対比というカント的図式に馴染んでおられる方なら、私の哲学の第一の主要な部分では「不可避的な概念化」が問題にされており、第二の主要な部分では「不可避的な直観化」が問題にされている、という言い方で、ことの本質を理解していただけることと思う。カント自身は「不可避的な直観化」の議論によってデカルト主義や合理的心理学を退けたが、「不可避的な概念化」の方の問題は看過していたように思う。[16]

それでは、この二つの問題はどのように関係しているだろうか。意外に思う人もいるかもしれないが、関係ない、というのが私の見解である。というのは、第二の主要な部分についての以上の議論はすべて、思考実験の主体である「私」が誰であっても、一般的に成り立つものだからである。言い換えれば、不可避的な直観化についての以上の議論はすべて、不可避的な概念化が働くことによって理解可能になっているのである。だからこそ、これらの思考実験は私の問題をひとに伝えるのに役立ったわけである。つまり、それは「一般化された独在性」についての議論だったわけだが、しかし、そうでないことが可能であろうか？

ここでも、デカルトのコギト・エルゴ・スムの二様の解釈として現れたのと同じ問題が現れていると思われるかもしれないが、それは違う。それが違うということはきわめて重要である。

分裂の思考実験を振り返ってみよう。今度は「直観化」と対抗する観点からではなく「概念化」と対抗する観点からである。先に説明したデカルト解釈の前者をとるなら、分裂した後の二人ともが平等に「確実な私」であることができる。しかし、分裂の思考実験はそういう意味での「確実な私」の存在を求めているのではない。分裂した一方は現実に私だが、他方は現実には私でなく、「私」という語を使う他者にすぎない、ということが問題なのである。だから、その他者にとってそいつ自身の「私」の存在がいかに「絶対確実」であっても、そんなことは問題の本質とぜんぜん関係ない。つまり、分裂の思考実験はデカルトの全体的懐疑の思考実験に基づく認識論的問題とは違う存在論的問題を示そうとしており、かつそのことに（ある程度）成功しているといえる。それはつまり、デカルト解釈の話に引きつけて言うなら、二つの解釈のあいだに横たわる根源的な隔たりを際立たせることに成功しているのである。

だが厳密に言って、デカルトの全体的懐疑の思考実験と対比された場合の、〈私〉の分裂の思考実験の独自の意義はどこにあるだろうか？　「私」の人格からの独立性ということなら、デカルトの議論でも十分言えているだろう。誰であれ、自分が誰で**あ**る**か**ということについて知らなかったり間違えていたりすることはありえても、自分であることを知らなかったり間違えていたりすることはありえない。この「確実性」は、「私」の認識の確実性はその「私」が誰（どの人格）であるかとは独立であることを示している。では、分裂の思考実験は、それとは違う何を示しているのだろうか。それは、〈私〉の存在の偶然性である。そして、デカルトの議論からは、どちらの解釈をとっても、これは出て来ない。これは決定的に重要な点である。

ところが、その〈私〉の存在の偶然性の提示が、ふたたび二様の解釈を受けるのである。私は、世界の中にいる一人の人間だけがなぜだか（私であるという）極めて特殊なあり方をしていることに驚いた。だから、当然、その驚きは他人と共有できないはずだった。他人は、そんな特殊な在り方をしていない――たんに普通に人間である――のだから。そして、まさにその対比こそが問題だったのだから！　ところが、それぞれの他人にとっては、それぞれ自分だけがなぜだか特殊なあり方をしているのだ。だから、当然、彼あるいは彼女のその驚きは彼あるいは彼女にとっての他人と共有されない。[17]問題はそういう一般論に翻訳されてしまうのである。

この展開は、「可能世界」というものを考えた場合、現実世界以外の各可能世界もその世界にとっては「現実世界」であることを認めざるをえない（ことによって「現実」性が一般化する）ことに類比的である。類比的どころか、同じことであるといってよい。他の世界にそれぞれの「現実世界」性が与えられるのと同様に、他の者にそれぞれの「現実の私」性が与えられるわけである。ところで、「現実」性とは、実はそれがすべてであって他のあらゆるものはその内部に含まれているという性質であった。だから、本来は複数のものが一緒に持つことのできるような性質ではない。それなのに、それが複数化されるのである。（ただし、このことによって可能世界や他者が「実在」するようになるわけではない。「実在」性の問題は、いま論じているような「(現実性の)不可避的な概念化」に関係することがらではなく、むしろ先に述べた「直観化」の方に関係することがらだからである。)そして、他の可能世界や他者の側から見た場合には、それらから見られた場合の可能世界や他者に対して、事象内容的(レアール)には[18]、この段落の前半に述べたこととまったく同じことが(あちら側から)なされることになる。これが「現実性の累進構造」である[19]。

とはいえ私は、その一般論に対してこう反論できるだろう。いや、私自身の場合、私が特殊なのは「私にとっては」ではなく、(「とって」という反省的媒介ぬきの)「端的に」なのだ、と。「私自身の場合」という語は、他者の場合(「Aにとっては」「Bにとっては」……)と並立可能な「私(という人)にとっては」を意味しているのではなく、それらの並立が成立する場であるすべてを指しているのだ、と。この差異は決定的である。なぜなら、それがすなわち存在の偶然性の意味するところだからである。

この差異が理解しにくい人のために、同じ問題を「私」でなく「今」(「現在」)で考えてみよう。私がこの原稿のこの箇所を書いているときが(そしてそのときだけが)今であることは疑いえないが、それはその時点が端的に今だからである。決してその時点にとってはそこが今だというのではない。ところが、いかなる時点にとってもその時点は今である。だから、私がこの原稿のこの箇所を書いているまさにこのときこそが端的な現在(今)であるという端的な事実も、いかなる時点にとってもその時点は今であるという一般論の単なる一例でもあることになる。二つの「今」に区別はないことになる。にもかかわらず、端的な現在と一般的な(反省的に媒介された)「現在」を区別できない人はいないだろう。
「私」の場合でいえば、こうなるだろう。誰にとってもその人自身は「私」である。だから、私が私であることも、そういう一般論の単なる一例であることになる。しかし実は、後者の私は端的に私なのであって、鳩山にとって鳩山が「私」で、オバマにとってオバマが「私」であるように、永井にとって「私」なのではない。そういう端的な「私」がなぜか存在していることこそが問題なのであった。もちろん、他者の視点からは、それもまた永井にとってであるように見えるだろう。とはいえ、すべてを初めから「とって」性の水準に落として、「端的」性の水準を無化してしまえば、〈私〉も〈今〉も存在しなくなり、結局は何も存在しなくなってしまうだろう。[20]

さてしかし、直前の段落で述べたことを理解していただけただろうか？　もし理解したとすれば、さらに賛同したとすれば、ここにはまたもや不思議なことが起こっている。「私がこの原稿のこの箇所を書いているときが現在（今）であることは疑いえないが、これは端的に現在（今）だからである」とそこで私は言っている。決して「ある時点にとって現在（今）」なのではないのだ、と言っている。「どの時点にとってもその時点は現在（今）である」ということが言いたいのではないのだ、と言っている。しかし、その時点は私がここを書いている現在でもなければ、読者がそこを読む現在でもないのだから、そこで言わんとすることがもし理解されたなら、その理解においては、そこで私が言おうとしたことがそのまま捉えられているはずはない。むしろそこで否定されているはずの「現実性の概念化」の一歩がすでに踏み出されているはずなのである。

現実性の概念化は、ある意味では何も変化させないが、別の意味では「変化」と位置づけることもできないほどの根源的な変化を引き起こす。この二面性が累進構造の特徴である。もちろん、端的な現在と一般的な（媒介された）「現在」の差異を区別できない人はいない。[21] それにもかかわらず、それを語る言語表現が伝わるという観点から見れば、伝わる言語表現の意味にその差異が反映されることはありえないのだ。言語において存在論的差異は必ず抹消されるのである。その差異によってのみ隔てられた二つはまったく同じことでしかありえないことになるのだ。[22]

この現実性の累進構造によって「私秘的な意識」（あるいは「クオリア」）という不可解な概念が成立するのではないかというのが、私が『なぜ意識は実在しないのか』で論じた問題であった。もしそうでないとすると、私には「私秘的な意識」（あるいは「クオリア」）という客観的概念がなぜ成立可能なのか、理解できない。

4　第〇次内包について

以上の論点と関連づけて、私が『なぜ意識は実在しないのか』で導入した「第〇次内包」という概念について説明しておこう。入不二氏の論文では、この概念の多義性が批判され、「マイナス内包」と「無内包」という概念が新たに析出されている。私は、前者（マイナス内包の存在を認めること）に関しては否定的であり、後者（第〇次内包と無内包を区別すること）に関しては肯定的である。[23] 後の議論の内容を理解していただくために、ここでは入不二氏の批判以前の段階において私が考えていたことを説明しておくことにする。出発点は、チャーマーズをはじめとする二次元意味論者たちが導入した第一次内包と第二次内包の対比にある。そのまた基になっているのは『名指しと必然性』におけるクリプキの議論だが、そこまで話を戻すと、とてもながいながい話が必要になるので、ここではそうした細部はすべて省略して、いきなり『なぜ意識は実在しないのか』で私が論じた内容（の入不二氏の批判に直接関係する部分）から始めることにする。

「痛み」（とか「酸っぱさ」）といった言葉の意味（内包）はどのように習得されるだろうか。こういう道筋が考えられる。一歳児が転んで膝をすりむいて泣いているとき（あるいは、その子が夏みかんを食べて酸っぱそうな顔をしているとき）、母親が駆けよって「痛い、痛い」（あるいは「酸っぱいね」）と言う。そのような状況が繰り返されて、その子どもは「痛い」（あるいは「酸っぱい」）という語をみずから使えるようになる、という道筋である。このとき習得されるのが、「痛み」の第一次内包である。ポイントは、母親（一般に言葉を教える大人）はその際、その子どもが感じている感覚そのものを体験したわけでもなければ、その子どもの脳や神経の状態を認識したわけでもない、ということである。そしてもちろん、前者から第〇次内包が、後者から第二次内包が生まれることになるわけである。

まずは第〇次内包。「痛い」（「酸っぱい」）という言葉の使い方を正しく学んだ子どもは、自分が転んで膝をすりむいて泣いているとき（あるいは夏みかんを口に入れているとき）、なぜかちっとも「痛く」（「酸っぱく」）感じないならば、そう言うことができるはずである。また逆に、その種の痛み（酸っぱさ）を感じるべき前後関係も痛み（酸っぱさ）にふさわしい表出もまったく欠如した状況で、ただ単に痛み（酸っぱさ）を感じてしまったならば、そうだと知ることができるはずである。もしそういう段階に到達しないならば、その子どもは「痛い」（「酸っぱい」）という語を完全に習得してはいない、といわねばならない。この段階に達したとき、子どもは「痛み」の第〇次内包を獲得したのである。

第二次内包は、ここでの論点とはあまり関係ないので、ひとことで言っておく。それは、痛みの感覚を引き起こしているとされる「C繊維の興奮」のような神経生理学的事実で、それこそが「痛み」の本体なのだと考えることもできる。そして、上に述べたような第〇次内包に基づく「痛み」の存在の主張が他者からの承認を得るために、最も強力な支援を与えてくれるのは、この第二次内包に基づく「痛み」の存在が認められることである点は、注意するに値する。

さて、ここまでのところでは、第〇次内包も第二次内包も第一次内包から派生するかのように説明したが、当然、別の考え方もありうる。言語を習得する以前からの痛みの感覚そのものはあったはずだと考えるなら、第〇次内包のプライオリティーが認められるし、そのような「感覚そのもの」を含めて、結局のところ、世界は物理的なものから成り立っているはずだと考えられるなら、第二次内包のプライオリティーが認められることになるだろう。にもかかわらず、少なくとも「痛み」（「酸っぱさ」）という概念の成立に関する限り、それらのプライオリティーは決して認められない。これは「感覚」や「意識」といった類概念に関しても同じことである。したがって、「痛い」という言葉を学ぶ以前の子どもが、転んで膝をすりむいて泣いているとき実は「痛く」感じていないという事態や、痛みを感じるべき前後関係も痛みにふさわしい表出もまったく欠如した状況でただ単に痛みを感じてしまうといった事態は、概念的に成立不可能という意味で、決して起こりえないといえることになる。[24]

さて、問題は、これとパラレルな事態が「私」(や「今」)のような概念の成立に関しても認められるか、である。

この場合、出発点の第一次内包は、「私」(や「今」)という指標詞の習得である。しかしこれは、「痛み」(や「酸っぱさ」)の習得ほど簡単なことではない。ここでは、先に「概念化」と「直観化」と呼ばれた事態がいわば逆過程をたどられねばならない。なぜなら、人は「私」という語の使い方もまた、自分以外の人(つまり「私」でない人)の使い方から学ばねばならないからである(もちろん、学ばれた「痛み」が「私の痛み」であり、「酸っぱさ」が「私の酸っぱさ」であったかぎり、「痛み」や「酸っぱさ」の場合も実は同じ問題が伏在していたはずなのだが)。「私」は、当初、誰であれその人が自己自身を指示する語として学ばれるわけだが、これはいわば、虚構世界で用いられる「この現実の世界」という語の使い方から「現実」という語の意味を学び取らなければならない状況と類比的である。そのような虚構世界での用法を問題なく理解でき、かつ自分の世界にもその語を適用できるようになったとき、われわれはそれと同時に、こちらが本当の(現実の!)現実世界であることも、同時に知らねばならない。そこまで行ったとき、「現実」概念の理解は完成する。「私」の場合、他人が用いる「私」(I, Ich, 等)という語の使い方から「私」という語の意味を学び取らなければならないわけだが、ここでも、そのような他人の用法を問題なく理解でき、かつ自分自身にもその語を適用できるようになったとき、人はそれと同時に、こちらが本当の(つまり現実の)私であることも、同時に知らねばならない。そこまで行かなければ、「私」概念の習得は完成しない。それどころか、そこまで行かなければ、そもそも「私」という語をふつうに使うことができないだろう。もちろん、この段階における「私」が第〇次内包にあたる（第二次内包は特定の人物名であり、こちらの連関にも興味深い問題は多いのだが、ここでは省略せざるをえない）。

しかし、この場面では、第〇次を（後から）習得するという言い方に疑問を感じる人も多いだろう。「痛み」や「酸っぱさ」の場合には、第〇次内包を語る「権利」は後から（それらの概念の獲得とともに識別の仕方そのものをはじめて習得した後に）得られるのだが、「私」の場合には、識別の仕方を外部から習うというプロセスがそもそもなく、むしろ逆に、私自身とそれ以外の心（他人）という初めから与えられてしまっている根源的な差異に、後から無理やり第一次内包の枠が被せられるように感じられるからである。つまり、ここでは第〇次内包は後から付与される「権利」であるよりはあらかじめ（きわめてあらかじめ！）与えられている所与であるように感じられるわけである。

たしかに私は、外見から見たところでは完全な植物人間になり、いかなる意思表出もできなくなって、身体感覚さえ（したがってひょっとすると身体そのものさえ！）失っても、ただ内的に何かを思惟し、「そうしている私は存在する」と確信することができる。つまり、第〇次内包の「私」を語りうる。しかし、このことはまた外部から与えられた「権利」でもあるのではあるまいか？ その証拠に、私は、私自身のみならず他者にも、同じ権利を認め、同じ可能性を想定することができる。このとき私は、（概念的には）他人にも可能なこととしか自分に想定することができない。そこにある差異はただ、その事態が現実的か可能的か、という点だけに現れる。しかし、もちろんその差異もまた可能化（概念化）される。だから、ここで私が言わんとすることは決して言えない。すでに述べたように、このような現実性の累進構造こそが「私秘的な意識」（あるいは「クオリア」）という不可解な概念の根源にあるのではないか、ということが、私が『なぜ意識は実在しないのか』で論じた問題であった。

1　したがって、「世界にこんなにたくさんの人がいるのに」という譲歩節は余計であった。世界に人が（あるいはものが）一人（一つ）しか（い）なくても、同じ問題が成立するからである。しかし、世界に人が（あるいはものが）一人（一つ）しか（い）ない場合と、二人（二つ）い（あ）る場合と、三人（三つ）以上い（あ）る場合で、問題の意味が少しずつ変わるであろう。一人（一つ）しか（い）ない場合、問題の意味は最も純化された形で理解されるはずだが、にもかかわらず理解は非常に難しい仕事となるだろう。現実世界には三人以上の人がいるが、それは後に述べる分裂の思考実験でやっと理解されることになるべき第一歩がすでに生起していることを意味する。ここに「人称」という問題の源泉があるだろう。

2　そう考えないと、彼自身のコギト・エルゴ・スムの実践は単なるエピソード的な意味しか持たなくなってしまうだろう。彼は彼の議論を最初から単なる一般論として（第三人称的に）語ることもできたはずだからである。ここには更なる問題が少なくとも二つある。一つは、読者の側は一般論として受け取るほかはないのか、という問題。もう一つは、一般論と「デカルト自身にとって」という対比では、全体がやはり一般論に落ちてしまっているのではないか、という問題である。（前者の問題にかんして、読者が自分――つまり過去の日記を読み返すような場合――であったら、何か事情が変わるだろうか？）

3

もちろん、そうでないともいえる。懐疑中のデカルトでさえ、他者が存在するということの意味を、おそらくは物が存在するということの意味以上に、完璧に知っているはずである。そこらにいる他者たちは、ゾンビかどうかは決して分からないとはいえ、もしゾンビでなければ、他者として存在することになる。そして彼らがゾンビでないとは、彼らがまさにいま疑っている自分のような在り方で在るという意味であろう。だから、彼は彼らの存在意味をすでにして完璧に知っているともいえるわけである。他者は、物体と違って、もし存在するならどのように存在するか、その本質がすでにして知られている存在者だといえる。それは認識的には物の彼方にある遠い存在だが、概念的には物よりもはるかに真近な（まるで自分のような）存在なのだろう。（後で述べる過去と未来への類比にも、このことはある程度あてはまる）。

4

デカルト自身もそうだが、その後のデカルト解釈者たちもまた、カントに始まる超越論哲学の伝統を含めて、おおむね私の問題とは重ならない方向にデカルトの議論を解釈したといえる。それは彼らが問題を徹底的にラディカルに問いすすめることを怠ったために生じた本質的な哲学的自己誤解である、というのが現在の私の診断である。私の問いは超越論的哲学の問いをさらに一歩先に進めたものではなく、むしろもっとより以前（権利上）に立ち戻って、その成立の秘密をも探ろうとするものである。

5

理由は分からないが、この事実そのものに感情的に反発を感じて、なんとかしてそれを否定したいと感じる人がいるようである。また逆に、これまた理由は分からないが、この事実そのものに感情的に喜びを感じて、そこに何か深い意味を込めようとする人もいるようである。（とくにこの事実に「神秘」という形容でも与えようものなら、内容を精査することも忘れて、ただそれだけで色めきたってしまう人が多いのには驚くほかはない。）もちろん、私自身はどちらでもない。もしこれが事実であれば、どんな種類のイデオロギー的先入見も捨てて、素直にそれを認めるべきだと思うだけである。そして私は、これは疑う余地のない、単純で平凡な事実であると思う。

6　二人とも私である場合については、『マンガは哲学する』（岩波現代文庫）の第二章6の「ツイン・マン」状態についての記述を参照していただきたい。

7　ここで「すべて」というのは全部分を包括した全体という意味ではない。ここの議論にはそうした「全体vs.部分」主義的な世界理解の拒否が含まれている。それに代わる「超越vs.開闢」主義的な世界理解は、後に述べる「累進構造」の基礎となるものだが、残念ながら詳述している紙幅がない（『思想地図 vol.5』所収の拙論「馬鹿げたことは理にかなっている」にかんたんな説明があるが、いずれくわしく論じたいと思っている）。

8　世界内の一対象としての（たまたま私でもある）一人物の死亡と、世界そのものを初めて開くものとしての（たまたまその一人物でもある）私の死の区別と連関については、『学問のツバサ』（水曜社）所収の「科学的には説明できない〈私〉の存在」という講演で、パーフィットの人格論とハイデガーの存在論を関連づけて述べた。死の意味が異なれば、当然、それに対応する生（したがって存在）の意味も異なることになる。なお、この意味で世界そのものを初めて「開く」ことが、上野氏によって論じられている「開闢」である。私はそれを『私・今・そして神――開闢の哲学――』でくわしく論じた。

9　まったくの一般論の水準で考えても、「私」の成立を自己意識の成立によって説明するのは無理であろう。意識というものがあって、それが自己を反省したからといって、なぜそこに「私」が成立するのだろうか？　それは私ではなく他人かもしれないではないか、と言いたいのではない（もちろんそれも言いたいが）。他者の「私」（すなわち他我）でさえ、それだけでは成立しないではないか、と言いたいのである。他我（他者の「私」）の成立にもまた反省以前の独在性（つまり、すべてさ）とその独在性の反省の契機が不可欠である。この側面を見逃してしまえば、いくつも存在する自己意識のうちのどれが「私の」自己意識なのか、肝心のそのことが結局のところは分からない、ということになるだろう。

10　このような思考法に哲学における「可能性」概念の固有の意義がある。この点については、後の論文で「ゾンビの可能性」という論点に関連して詳述する予定。

11　ゆえに、それは「変化」ではない、と言ってもかまわない。これはすぐ後に述べるように、「魂」は実在しないというカントの主張と同型の議論である。世界は、たとえ本当に五分前に生じていたとしても、五分前に生じたことには決してならない。同様に、「魂」はたとえ実在するとしても「実在する」ことには決してならない。

12　その意味では、「魂」と同様に、ここで問題になっている意味での〈私〉もまた、「実在」しないのである。カントの「誤謬推理」の議論は、魂の不滅を主張する当時の「合理的心理学」を直接の対象にしているため、古めかしい議論にみえる。しかし、それは見かけだけだろう。実際、合理的心理学の主張でさえ見かけほどには馬鹿げたものではないことは以下の本文に示唆されている通りだし、カントにおいても、合理的心理学の魂にあたるものは、世界の内部に実在しない「純粋統覚」として保存されている。それは、持続的に存在することの条件を作り出すのであって、それ自体はその条件に従って持続的に存在はしない。

13　自分がイタリア人のサッカー選手であるような夢とは、その夢世界では、そのサッカー選手の眼からだけ現実に世界が見え、そのサッカー選手の体だけ殴られると現実に痛く、そのサッカー選手の体だけ現実に動かせる、という意味である。それがここでの「自分」の意味である。

14　ところで、このサッカー選手が持つ知識はすべて偽であるといえるだろうか。一般に夢だから偽であるといえる（『省察』のデカルトはそう言ったのだが）ためには、夢内外の主体の同一性が脳（という外的物体）の同一性によって与えられ、かつ夢世界と外部世界の時間の一対一の対応が成り立っていなければならない。夢かもしれないという懐疑はこの条件を受け入れることを余儀なくさせるが、それはこの懐疑の破壊力を著しく弱めないだろうか。（さらにまた、上の二つの条件は真偽が成立するための十分条件ではないだろう。赤いりんごを黄色いバナナだと言えば確かに偽だが、赤いりんごを前にしてそれと無関係に黄色いバナナを思い浮かべても、偽なる認識を持ったことにはならない。この「を」の示す志向対象の一致の条件を夢はいかにして与えうるのか。）

15　入不二氏が論じておられる「今秘性」の問題も、元を辿ればここに辿り着くのではないだろうか。だとすれば、今秘性がないのは、どの時点においても過去向きの場合であることになる。あのとき感じたあの痛みはいま思い出すこの痛みなのである。

16　私が世界内の客観的存在者であるためには、たしかに私は自分を対象化（物体化）しなければならないが、それができるためには、いわばそれ以前に、自分を一例化（他者化）できていなければならない、と私は考える。そして、こちらの問題の方が根源的である、と。

17　このことを「疑う」こと（各人にとっての「疑いえなさ」の成立を私が疑うこと）はもちろんできる。しかし、疑うことができるということは、疑わないこともまたできるということだろう。疑わない場合に成立しているはずの事態を理解できるということだろう。さて、なぜできるのだろうか。それが問題なのである。

18　「事象内容的（レアール）」とは、『純粋理性批判』において神の存在についての存在論的証明を批判する際にカントが語った「存在は事象内容的（レアール）な述語ではない」（A598/B626）に由来する術語である。この点については拙論「なぜ世界は存在するのか」（『岩波講座哲学02形而上学の現在』所収）を参照していただきたい。ただし、そこではこの Realität が「内容的規定」と訳されている。

19　これが言語の成立の本質的な条件であると私は考えるが、しかし、可能世界は実在しないので、それらと話し合うことはできない。他者や異時点は実在する（つまり声を出す口や記録を残す紙などをもつ）ので、それらとは話し合うことができる。しかし、異時点の場合は、未来と過去とで非対称性があったが、その点についてはここでは触れない。

20 私の使う端的な（無媒介な）「私」が、まずは上述のような仕方で概念化され、次に声を出す口のついている体として直観化され、（他者の視点から）「永井にとっての」の意味に理解されること。また、いま使われる端的な（無媒介な）「今日」が、まずは上述のような仕方で概念化され、次に記録される紙に書いてある日付によって直観化され、（異時点の視点から）「二〇〇九年九月一九日にとっての」と理解されること。これが言語の成立の条件である。言語はこのようにして（また他のようにして）端的さを抹消し、それを世界内に存在する（他者から認知可能な）ひとつの物の反省作用へと吸収していく。「私」や「現在」が「とって」という反省的な媒介を経ているように見えるのは他者（あるいは他時点）の視点を経由したときなのだから、（ヘーゲルやサルトルの用語を使うなら）対自は最初から対他なのであり、反省は私的な作業ではないことになる。

21 この区別は、私の用語では「存在論的差異」である。先ほどの「分裂」で考えると、分裂後に私でなかった方のやつも、私であった方とまったく同じことを言うであろう。にもかかわらず、その二人の間には事象内容的（レアール）な差異はなく存在論的差異だけがある。

22 こちらの差異——（語りえない）存在論的差異と（語ることによって生じる）意味論的同一性のあいだの差異——は、存在論的差異ではなく、（存在論的—意味論的）累進構造そのものである。

23 ただし、それが真に「無」内包であるかに関しては疑念を抱いているが。

24 入不二氏はこれが起こりうると考えて、そこに「マイナス内包」の存在を認める。私ならば抹消記号（×）をつけた「痛み」を使いたい場面である。

▶ 第Ⅰ部

入不二基義セクション

「内包」

二種類の問いを考えてみる。一つは、「人間とは〈何〉であるか」あるいは「人間とは〈どのような〉ものか」という問いであり、もう一つは、「人間とは〈どれ〉なのか」あるいは「人間とは〈どれと、どれと、どれと、……〉なのか」という問いである。

前者の〈何〉〈どのような〉の答えになるその中身が、人間の「内包（intension）」であり、後者の〈どれ〉の答えになるその実例が、人間の「外延（extension）」である。

前者の問いは、「人間とは、どのような定義を満たすものか」「人間は、いかなる本質や特徴を持っているのか」と言い換えることができるし、後者の問いは「人間の定義が当てはまる対象を、選び出しなさい」「人間の特徴や本質を持っているものを列挙しなさい」と言い換えることができる。

そこで、人間の「内包」とは、たとえば「埋葬の儀式を行い言葉を持つ動物」のような定義や本質や特徴のことであり、人間の「外延」とは、たとえば｛Aさん、Bさん、Cさん、Dさん、……｝のように実例を集めた集合のことである。

なぜ「内（in）」と「外（ex）」と言うのだろうか。上記の例でそのまま続けてみよう。人間を、いったん「人間」という記号として、眺めてみるのがいい。「人間」という記号が、その内に包み込んで持っている内実とは、その記号の「意味」や「概念」のことであり、それが（人間の）定義や本質や特徴を表現する。一方、「人間」という記号の外側に延び広がっている世界に、その記号の表す「もの（対象）」があり、それが（人間の）実例となる。この場合、「意味」や「概念」が内包に、「もの（対象）」が外延に相当する。

このように考えると、ある表現「X」の意味や概念、そのXの定義や本質や特徴などが、「内・包(in-tension)」と呼ばれ、ある表現「X」の指示対象や実例が、「外・延（ex-tension)」と呼ばれることが、納得できるのではないだろうか。

「内と外」の区分は、単純な二分割ではなくて、入れ子型になって積み重なっている。「人間」という表現には外延と内包の両方があり、その内包の一部分もまた、外延と内包の両方を持つ。「埋葬の儀式を行い言葉を持つ動物」という内包の一部分である「動物」等の表現にもまた、外延と内包がある。たとえば、｛哺乳類、鳥類、爬虫類、……｝という実例の列挙は「動物」の外延であり、「移動ができて、植物等が作り出す有機物を摂取する生物」という説明は「動物」の内包である。さらに、その外延｛哺乳類、鳥類、爬虫類、……｝の実例の各々にもまた、外延と内包の両方があることは、言うまでもないだろう。

このように、外延と内包の区別は、一回こっきりで終わるものではなくて、どこを切っても出てくる「金太郎飴の顔」のように、どの段階を取り出してみても現れてくるような区別である。

少し場面を変えて、次の(a)と(b)を比べてみよう。

(a)　明けの明星と宵の明星は同じものである。
(b)　明けの明星と宵の明星は別のものであると、彼は思っている。
(a)では、表現の違いを超えた、実際の世界（外部）における対象自体の同一性が問題になっている。すなわち(a)では、「明けの明星」「宵の明星」という表現の内包の違いを超えた外延にこそ焦点がある。
一方、(b)では、彼の思いの内部が問題になっていて、その思いの内側では、表現の仕方の違いがそのまま表す対象の違いになっている。すなわち(b)では、「明けの明星」「宵の明星」という表現の内包の違いが、そのまま外延の違いとして（彼の思いの内では）捉えられている。
(a)が「外延的（extensional）」と呼ばれる文脈であり、(b)が「内包的（intensional）」と呼ばれる文脈である。(a)は、内包を超えた外延にまで届いている捉え方だからこそ、「外延的」と呼ばれる。一方(b)は、内包（意味や概念）の内に、外延（対象）を吸収して閉じこめている捉え方（＝彼の思い）だからこそ、「内包的」と呼ばれる。
この場面では、内包（意味や概念）を、フィルター（メディア）の比喩で考えてみることができる。(a)のように「外延的」であることとは、フィルター（メディア）を超えた、その向こう側にある対象を問題にすることであり、(b)のように「内包的」であることとは、フィルター（メディア）によって捉えられている限りでの対象を問題にすることである。

ここまで、内包の「内」とは意味や概念の内側のことであり、外延の「外」とは意味や概念の外側のことであると考えてきた。ただし少し見方を変えて、別様に考えることもできる。「内と外」の区別を、「意味や概念」の内と外から、「心」の内と外へと移動させてみよう。

(b)では、彼の思いの内部に、「明けの明星」「宵の明星」という表現が組み込まれている（間接話法的である）と捉えることができる。一方、(a)では、彼の思いの外部（＝われわれの世界）に、「明けの明星」「宵の明星」という表現が位置づけられている（直接話法的である）と捉えることができる。彼の心の内部では、二つの表現が別の対象に結びついているのに対して、彼の心の外部（＝われわれの世界）では、同一の対象に結びついている。

彼の心の内部で考えられている「対象」を、彼の心の外部（＝われわれの世界）で考えられている「対象」と区別して、「志向的な（intentional）対象」と呼ぶことがある。つまり、「明けの明星」と「宵の明星」は、彼の心の外では同一の対象を表しているが、彼の心の内では異なる「志向的な対象」を表している。

「志向的な」と訳している“intentional”と、「内包的」と訳している“intensional”とは、スペリングにおいて〝t〟と〝s〟の一字違いであることに注意しておこう。

このような見方をすると、もともと「内包」とは、ことばの意味や概念の場面で使われる用語であるけれども、心（の内）という問題場面とも無縁ではないことがうかがわれる。

さて、ことばの意味や概念としての「内包」に話を戻そう。「内包」を、次のように二種類に分けてみよう。一つは「日常文脈的な内包」であり、もう一つは「科学探究的な内包」である。

「水」を例にすると、「冷たい透きとおった液体」という特徴は、「水」の日常文脈的な内包であり、には、それを最初に学んだり日常的に使ったりする場面では、日常文脈的な内包が結びついている。私たちが「水」に対して持つイメージのほとんどは、日常文脈的な内包に相当する。一方、「水」の見かけの特徴を超えて、「水」とは〈何〉であるか、〈どのような〉ものかという本質を探究することによって発見されるのが、科学探究的な内包である。

後で発見される科学探究的な内包（水素と酸素の化合物（H_2O））の方が、日常文脈的な内包（冷たい透きとおった液体）よりも、「水」の真相を言い当てていると見なされるようになる。つまり、「冷たい透きとおった液体」でなくとも、「水素と酸素の化合物（H_2O）」であるならば、それは「水」とみなされるが、逆に「冷たい透きとおった液体」であっても、「水素と酸素の化合物（H_2O）」でなければ、それは「水」に似ているだけで、「水」ではありえなくなる。

日常文脈的な内包が、チャーマーズや永井が「第一次内包」と呼ぶものに相当し、科学探究的な内包が、「第二次内包」と呼ぶものに相当する。さらに、この二種類の区別に対して、永井は「第〇次内包」という第三の内包を追加導入する。それは、「文脈独立的な内包」、あるいは「内面孤立的な内包」とでも呼べる内包である。

「痛み」を例にしよう。「痛み」を（「痒み」でも「くすぐったさ」でも「幸福感」でもなく）「痛み」として輪郭づけている特徴が、「痛み」の第一次内包である。たとえば、「飛んできた石が頭にあたって、わんわん泣き叫んでいる状況で感じられている感覚」という規定は、「痛み」の第一次内包にあたる。

基本的には、「痛み」の第一次内包は、原因を含めた外的な状況［入力］と、当人が感じていると見なされる感覚と、その結果として出てくる当人や周囲の反応やふるまい等［出力］という三つの要因から構成されている。

その第一次内包から、「真ん中の要因」だけを独立させたものが、「第〇次内包」である。つまり、入力や出力などの「文脈」から独立に、当人の内面だけでその感覚が生じるとした場合の、その感じられるものが「第〇次内包」である。「痛み」の場合には、痛み特有のあの感じが「第〇次内包」である。あの感じは、たとえ仮にくすぐられることによって生じて［入力］、微笑みという表情をもたらす［出力］としても、それらとは独立にあの感じのままでありうる。この独立性を認めることが、「第〇次内包」を認めることである。

「水」の場合には、日常文脈的な「第一次内包」よりも、科学探究的な「第二次内包」の方が、「水」の本体であると見なされるようになる。それと同様に、「痛み」の場合には、日常文脈的な「第一次内包」よりも、文脈独立的で・内面孤立的な「第〇次内包」の方が、「痛み」の本体であると見なされるようになる。ちなみに、「痛み」の場合の「第二次内包」とは、脳科学的な探究によって発見されるミクロな物理的状態（たとえばC繊維の興奮）に相当する。

ここまで解説を進めてくると、興味深いことが生じていることが分かる。先ほどは、「意味・概念の内側」と「心の内側」とを（いちおう）区別して説明していた。しかし、「第〇次内包」の場面では、むしろその両者は区別できなくなり、一体化している。つまり、意味・概念の奥の奥へと入り込んでいくことと、心の内面に奥深く入り込んでいくことが一致するのが、「第〇次内包」という場面である。この、「意味・概念の奥」と「心の奥」とが一致する場こそが、通常「クオリア問題」と呼ばれる問題場面であろう。

最後に、ひとことだけ付け加えて、「内包」の解説を終わりにしよう。私の論文「〈私〉とクオリア――マイナス内包・無内包・もう一つのゾンビ――」では、三種類の内包に対して、さらに二つの水準が追加される。その一つが「マイナス内包」であり、それは、(文脈独立的なだけでなく) 概念規定からも独立的な内包、あるいは潜在的な内包である。もう一つが「無内包」であり、それは、いかなる内包も関与してこない (内包と無関係な) 水準である。

1

〈私〉とクオリア

――マイナス内包・無内包・もう一つのゾンビ――

入不二基義

本稿では、永井均著『なぜ意識は実在しないのか』(岩波書店、二〇〇七年)の議論に依拠しつつ、次の相互に関連した四つの論点を考察する。以下、特に断らないかぎりは、引用文は同書からのものであり、ページ数のみを記す。

(1)永井の「第〇次内包」に対して、「マイナス内包」という段階をさらに付加する。
(2)独在性の〈私〉・最上段の「これ」は、「無内包」であることを主張する。
(3)「無内包」性は、「ゾンビであること」に、さらにもう一つの意味を提供する。
(4)二つの時間の原理と「今秘性」との関連を探る。

永井は、同書の「はじめに」ivページで、「ゾンビ」(外面は人間とそっくりなのに、内的な意識がない生き物)に関わる三つの主張と、それぞれの主張の複数の異なる意味について次のように述べている。

この講義の中で、議論の進展に応じて、「私はゾンビではなく、他人はゾンビである」という主張と、「ゾンビはそもそも概念的に不可能であるから、私も他人もゾンビではありえない」という主張と、「ゾンビは可能であり、私自身もまたゾンビでありうる」という主張が、いずれも必要不可欠な、疑う余地のない真理として、肯定的に主張されます。そのうえ、たとえば「私はゾンビではなく、他人はゾンビである」という肯定されるべき最初の主張にも、複数の異なる意味があることが明らかになり、したがってもちろん、「ゾンビは可能であり、私自身もまたゾンビでありうる」の方にも、同じことがいえることになります。そのような議論の進展の仕方自体が、「ゾンビ」概念を理解するために不可避で不可欠のものとして提示されるのです。(p.iv)

この点との関連で本稿のモチーフを提示するならば、永井が述べる「複数の異なる意味」をさらに増やし、弁証法的な段階をより複雑化する、ということになる。

I　マイナス内包

永井が「第〇次内包」を導入する場面から始める。「第〇次内包」は、「第一次内包」から出発して、「第一の逆襲」を経ることによって導入される。

酸っぱさの例でいえば、梅干や夏みかんを食べたときに酸っぱそうな顔をするとき感じていると、されるものを、酸っぱさの「第一次内包」と呼びます。第一の逆襲をへて、何も酸っぱいものを食べていなくても、なぜだか酸っぱく感じられることが可能になった段階の酸っぱさの感覚そのものを、酸っぱさの「第〇次内包」と呼びます。第一の逆襲をへて〇に戻るところがミソです。(p.13)

「内的体験」（酸っぱさの感覚そのもの）と「ふるまい」（酸っぱそうな表情）と「物理的状態」（脳の状態）とは三幅対として結びついている。その中で、「内的体験」が「ふるまい」から自立すること（「感覚の認知の自立」p.13）が、「第一の逆襲」と呼ばれる。その「逆襲」以前の段階、すなわち「ふるまい」との因果的結合が本質的な役割を演じる段階――「自立」以前の段階――の「感じるとされるもの」が、「第一次内包」である。[1] それに対して、因果的結合は本質的ではなくなって、その結合から解き放たれてもなお「感じられるもの」が、「第〇次内包」である。「第〇次内包」が自立するということは、「感じるとされる」文脈から独立に、当の「感じられるもの」が端的に存在することが可能になるということである。これが、「第一の逆襲」である。

また、「第一次内包」から「第二次内包」が生じるのは、「第二の逆襲」によってである。或る文脈内に位置づけられた「感じるとされるもの」「あのような感じ」は、私たちがたまたま持つ偶然的な性質であって、「ミクロの物理的状態」（たとえば脳状態）の方が実は本質である。そう捉えられるときの「ミクロの物理的状態」は、「第二次内包」である。「第二次内包」が自立するということは、「あのような痛みの感じ」などいっさいなかったとしても、「痛みの本質（物理的状態）は存在する」ことが可能になるということである。つまり、「感じられない痛み」も存在しうるのである。これが、「第二の逆襲」である。この「第二次内包」の自立は、以下のように、水や熱の場合とアナロジカルに論じられている。

水の本体はじつは H_2O で、あの水っぽさは、その本体がたまたま持つ性質にすぎない、と判明したり、熱の本体はじつは分子運動で、われわれが感じるあの熱さは、その本体がたまたま持つ性質にすぎないと判明する、といったことが起こりえます。（そうすると、まったく水のように見えても、H_2O ではないがゆえに、じつは水ではないものとか、逆に、水のように見えなくても——鉄のように見えても——H_2O であるがゆえに、じつは水であるといったことが可能になるでしょう。）（p.15）

ちなみに、「第一次内包」と「第〇次内包」という対と、「第一次内包」と「第二次内包」という対の内部においては、後者は前者から（第〇次内包は第一次内包から、第二次内包は第一次内包から）自立しつつも、両者はなお互いに関係を持ち続ける。[2] それに対して、各対の後者どうし、つまり第〇次内包と第二次内包どうしは、第一次内包からの自立性以上の、強い独立性をお互いに対して持っている。[3]

「第〇次内包の自立」と「クオリアの逆転」には、次のような関係がある。永井は pp.27-28 で、クオリアの逆転の可能と不可能について次のように述べている。

もちろん、大人になってからなら、なぜだか夕焼けや消防自動車や血やトマトが緑に、木の葉や草が赤く見えるようになってしまった、と訴えることはできます。また、右目と左目で逆転しても、医師にそう訴える権利があります。そういう逆転は、たしかにありうるのです。それにもかかわらず、言語を習う段階の子どもには、そういう逆転の可能性はまったくないのです。それが言語習得の出発点だからです。その意味では赤緑色覚逆転の人は決していません。クオリアの逆転は不可能です。

要するに、「第〇次内包」が「第一次内包」から自立した段階では（「大人になってからなら」）逆転は可能でなければならないが、それ以前の「第一次内包」に全面的に依存した段階（言語習得の段階）では、逆転は不可能なのである。

さて、私が提示したい論点（1）は、「第一次内包」からの「第〇次内包」の「自立」に加えて、さらにもう一段階強い「自立」があるのではないか、すなわち自立度はさらに高まりうるのではないか、という論点である。「第〇次内包」の自立に加えて、さらに「マイナス内包」とでも呼ぶべき自立の段階を加えたい、ということである。

たしかに、「第〇次内包」は「第一次内包」の段階から自立する。その場合の「自立」とは、「ふるまい」との因果的結合からの自立である。たとえば、痛みを感じるとされる原因や文脈がなくても（ないにもかかわらず）、本人にだけ直接分かる「痛みの感じ」がある、そういう事態を認めることに相当する。

しかし、この「自立」は、因果的結合や文脈からの「自立」ではあっても、「痛み」という「概念」自体からの「自立」ではない。この点に注目したい。「概念」自体はそのまま引き継がれている。いやむしろ、概念（のみ）を引き継ぐことによってこそ、それ以外の「関係の網の目」から自立できる、と言った方が正確である。いずれにしても、「第〇次内包」は、因果的結合からは「自由」にはなるが、「概念」から自由になるわけではない。結局のところ、関係の網の目に組み込まれることによって「感じるとされる」痛みであっても、それから独立に端的に「感じられる」痛みであっても、ともに「痛み」という概念の囲いの中にあることに変わりはない。

しかし、「感じられるもの」は、因果的な関係性からだけでなく、その概念（ここでは「痛み」という概念）自体からも自立・独立しうるのではないだろうか。その可能性は、以下のような理路によって開かれる[4]。

「クオリアの逆転」は、「第一次内包」の段階では不可能であっても、「第〇次内包」が自立する段階では可能へと転換する。たとえば、「トマトが赤から緑に見えるように変わった」ということが可能なように。その場合にも、「赤」「緑」という概念自体は固定したままである。その固定があるからこそ、「クオリアの逆転」は「逆転」として意味を持つ。

たしかに、「言語習得」の段階――「第一次内包」の段階――がまずある（先行しなければならない）。この段階では、「逆転」などそもそも意味をなさない。「逆転」が可能になるのは、文脈の中で「概念」を習得し、文脈からの自立の段階を経て、あくまでその後で、なのである。この順序は、絶対的である。しかし、この順序が絶対的であるのは、意味論的な（あるいは認識論的な）順序として、である。存在論的な（あるいは時間論的な）順序としてならば、次のような可能性があるし、あるのでなければならない。「クオリアの逆転」が「後」で生じうるのだとすれば、それに相当することが、そもそも「始め」からすでに生じていたかもしれない。そのような可能性である。その「始め」で生じていたかもしれないことは、現れたり表現されたりする術（すべ）はいっさいなかったとしても、それでもなお、あったかもしれない。そのような、存在論的（時間論的）な可能性である。

ただし、次の点に注意しよう。「後」で生じうるのは「（クオリアの）逆転」であるが、「始め」からすでに生じていたかもしれないものは、「逆転」と呼ぶことはできない。「逆転」は、「概念」の固定という蝶番があってこそ成り立つのだから。「概念」の固定以前の段階へと遡る「存在論的（時間論的）な可能性」においては、その可能性は「逆転の可能性」とは呼べない。

しかし、後から「逆転」が生じうるのだとすると、そもそもの始めから、「逆転」に類すること、何らかの「異常」「混乱」「逸脱」等が生じていたという可能性は、（原理的に現れ得なくとも）あるのでなければならない。「後」から生じうることは、いつ生じてもおかしくないし、「始め」から生じていてもおかしくない。ただ、「後」の段階で初めて有意味になる仕方を使っては言えない、というだけである。

「第〇次内包」の自立、すなわち「第一の逆襲」とは、外的文脈と内的体験のあいだでの優位性の転換であった。それに対して、上記の「後から生じうるならば、同様のことが始めから生じていたのかもしれない」という「第三の逆襲（？）」とは、意味論（認識論）と存在論（時間論）のあいだでの優位性の転換である。この転換の内には、「概念」自体からの自立というベクトルが含まれている。外的文脈から自立した「第〇次内包」にも、「概念」は引き継がれ、なお残っている。その「概念」からもさらに自立しようとする方向性のことを、「マイナス内包」と呼びたい。外／内の優位性の転換【第一の逆襲】と、意味論／存在論の優位性の転換【第三の逆襲（？）】。この両方の転換が揃うことによってこそ、「(私秘的な)内面」は完成するのではないだろうか。

永井は、クオリアを第○次内包として考えている。しかし、(クオリアという名称をどの範囲にまで使用するのかという問題はあるとしても)クオリアには、「マイナス内包」の水準、すなわち「概念自体からの自立・逸脱」の水準も加えた方がいいのではないか。

「第○次内包としてのクオリア」は、一定の概念の枠があることによって、たとえば「痛みのクオリア」として指定することができるし、安定的に感じることができる。一方、「マイナス内包としてのクオリア」の方は、その枠自体からの自立・逸脱の方向性を帯びているので、一定の概念を当てはめるという仕方で「指定する」ことはできないし、そのような仕方で「安定的に感じる」こともできない。「昨日赤く見えていたものが、突然今日緑に見えるようになった」という「逆転」ならば、(概念が固定されているので)明言することができる。しかし、「赤く見える」ことのそもそもの成立自体に先立っていた可能性がある何らかの「感じ」は、(概念から逸脱してしまうので)指定もできないし、安定的な輪郭を伴って感じることもできない。

したがって、「マイナス内包」は、確定できるような明確な質感ではない。しかし、「単なる無」というわけでもない。概念(「痛み」とか「赤」とか)によって指定したり輪郭を与えたりすることはできなくとも、何らかの感じはあったはず(あるはず)という仕方でのみ想定される。それが、「マイナス内包」である。ここには、「潜在性」を見るべきだろう。つまり、「マイナス内包」とは、潜在的なクオリア、あるいはクオリアの潜在態であって、顕在的なクオリアではない。それは、特定の概念で明確に囲うことのできるような質感ではなく、不明瞭な「何らかの感じ」でしかない。いわば、

「クオリアの闇」である。しかし、その「闇」は、そこから顕在的な（ありありとした）クオリアが立ち上がってくると想定される存在論的な「背景」なのである。

次のようなステップを踏んで、「マイナス内包」を考えることもできる。まず永井は、「第一次内包」と「第〇次内包」の対を、次のように考えている（p.13）。

第一次内包：（或るふるまいとの結合において）感じるとされるもの
第〇次内包：（或るふるまいとの結合がなくとも）感じられるもの自体

ここで、さらに次のように付け加えることができる。「第〇次内包」もまた、そのような自立したものとして、十分に習得された（すなわち自立的な）感覚の言語ゲームの中で、役割を果たしている。そこで、第〇次内包(1)は、第〇次内包(2)へと書き換えられる。「とされる」の出てくる位置に注意して欲しい。

第〇次内包(1)：（或るふるまいとの結合がなくとも）感じられるもの自体
第〇次内包(2)：（或るふるまいとの結合がなくとも）感じられるもの自体とされるもの

「とされる」の位置は、（第一次内包の場合よりも）外側へと移動している。ここでさらに、第〇次内包(2)に対して、次のような段階（マイナス内包）を付け加えることができる。

　第〇次内包(2)（或るふるまいとの結合がなくとも）感じられるもの自体とされるもの
　マイナス内包：「とされる」によって確定されることのない、潜在的な何らかの感じ

　このようにしてクローズドアップされる、第〇次内包とマイナス内包の差異は、クオリアの逆転と私的言語の違いと類比的である。第〇次内包がマイナス内包ではないように、クオリアの逆転は私的言語の一例ではない。ウィトゲンシュタイン『哲学探究』における「私的言語論」の中には、「第〇次内包」から「マイナス内包」へと向かう方向性と同じベクトルを読み取ることができる（と私は考えている）[5]。

II　無内包

　しかし実は、永井自身が、「第〇次内包」よりいっそう自立的な水準を、「第〇次内包」という表現の中に読み込んでいる（と私は思う）。より自立的なその水準は、感覚の「第〇次内包」の場面ではなくて、「第〇次内包」の「私」と言われる場面、「これ」としか言えなくなる場面において顕わになる。以下の引用内の、「真に第〇次的ではない」あるいは「真に第〇次的な表現などはありえない」という言い方に注目したい。

第○次内包の「私」をもし記述するとすれば、「事実として、なぜか、そいつの目から世界が見える唯一の物」とか、「事実として、なぜか、そいつの体を殴られると本当に痛い唯一の物」とか、「事実として、なぜか、その体を自由に動かせる唯一の物」とか、そういう言い方がありえます。しかし、これらの言い方は、他者も、いま述べたような意味で、ある意味では見えたり痛かったり体を動かせたりするはずのものであることが前提になっている点で（だから、同じ言い方を他者もできることが前提になっている点で）、真に第○次的ではありません。真に第○次的であるためには、それらすべてに「この」をつけなければなりませんが、その「この」は外部から「その」として指し返されることのない「この」です。つまり、真に第○次的な表現などはありえません。それは、言葉よりも手前にあるので、そもそも言葉で語られることとそりが合わないのです。(pp.146-147)（傍線は引用者）

「真に第○次的ではない」のは、他者からの相対化が前提にされてしまうからである。「真に第○次的である」ためには、相対化されない第○次内包でなければならない。しかし、累進構造（言語）の中では、それ（相対化を被らないこと）は不可能なので、「真に第○次的な表現などはありえない」ことになる。

ここで、次のように読み換えてみたい。すなわち、「真に第○次的……」を、上記のように「私／他者」という対立軸（相対化の軸）で読むのではなくて、「感覚の場面／独在性の場面」という私の内の対立軸（認識／存在という軸でもある）のもとで読む、という読み換えである。その場合には、「真に第〇次的である」とは、「当初の意味での第〇次的ではない」こと、すなわち「感覚の認知の自立」という意味での「第〇次内包」ではないことを意味する。永井の「第〇次内包」という表現の中には、「真の」ではない「感覚の認知の自立」の場面と、「真の」に相当する「独在性」「現実性」の場面と、この両方が同居しているのである。

このように読み換えた「真に第〇次的であること」＝「当初の意味での第〇次内包よりもさらに自立的なもの」とは、しかしながら、Ⅰで述べた「マイナス内包」のことではない。この点が重要である。たしかに、「言葉よりも手前にあるので、そもそも言葉で語られることとそりが合わない」という表現は、「マイナス内包」の概念以前性・潜在性という特質を表現しているようにも読める。しかし、そうではないことが重要である。

「マイナス内包」は、「概念」からの自立を志向し、特定の確定した質感であることからは逸脱する。しかし、それでもまだ、「マイナス内包」は「特定はされないが存在するはずの何らかの感じ」ではある。だからこそ（「何らかの感じ」であるからこそ）、「クオリアの潜在態」「クオリアの闇」なのであった。

一方、引用文の中にもある「この」は、「現実化」「現実性」のみを表す。「現に」というあり方は、その「中身」「内実」に相当するものとは無関係なのである。つまり、「この性」「現実性」は、「このX」の「X」の部分の内実がどのようであるかとは無縁である。この点に、「マイナス内包」の（第〇次内包からの）自立性とは異なる、別種の自立性が表れている。概念から自立した潜在的なクオリアが存在することと、そのようなクオリアも含めていっさいの「中身」「内実」とは無関係に、「この」という「現実性」が存在すること。この両者の差は大きい。

次に挙げる引用箇所では、「「この」の後に何らかの記述をつけるのを諦めた「これ」が、最もふさわしい」（傍線は引用者）と言われている。この表現が、現実性と現実の中身・内実との無関係性を表している。

その意味では、「この」の後に何らかの記述をつけるのを諦めた「これ」が、最もふさわしい表現です。「それ」として指し返されることのない「これ」です。「見える」ことも、「痛い」ことも、「動かせる」ことも、それらの表現があてはまる他の事例というものはもうないわけですから、それらに「この」をつける意味はありません。むしろ逆に「この」だけで、後に続く記述は何でもいいのです。実際にはむしろ、「これ」である、と言っているだけです。（p.147）（傍線は引用者）

ここでの「何らかの記述」とは、第一次内包のこともあれば、（当初の意味での）第〇次内包（＝自立した感覚記述）のこともあるだろう。しかし、「この」の後につけることを諦めるべきなのは、第一次内包・第〇次内包だけではない。記述することはできなくとも存在するはずの感じ（クオリア）、すなわち「マイナス内包」もまた、「この」の後ろにつけることを諦めるべきものである。「何らかの記述をつける」ことも、そして「記述し得ない感じを持ってくる」ことも、すべて諦めた「これ」が、「現に」という現実性を表すのに最もふさわしい。

つまり、「これ」は、顕在的な中身・内実（第一次内包・第〇次内包）とも、潜在的な中身・内実（マイナス内包）とも無縁なのである。第一次内包・第〇次内包・マイナス内包の三者とも、何らかの「中身・内実」つまり「内包」を持つ点では、共通している。一方、「これ」は、その三者のどれとも水準を異にする。「これ」が中身・内実とは無縁であるということは、「この」の後には「内包」が来てはいけないと禁じているのとは違う。むしろ、どんな「内包」が来てもかまわないが、どんな「内包」が来ても、「現実」であることには関係ないということである。

「これ」が中身・内実と無縁であるのは、「これ」は、端的に「現に」という現実性だけを表現しようとしているからである。[6]「この」は何にでも付くが、どんな「何」に付いたところで、その「何」によっては「現に」という現実性は捕捉されえない。話はむしろ逆である。「現に」という現実性の方が、「何」の部分（記述・概念・感じ）を、捕捉することもあれば捕捉しないこともある。現実性の実現は、「何」の部分がどのようであるかによっては、いっさい決まることなどなく、ただ単に「現にそうだ」というだけである。その意味において、「これ」「この」は、「第〇次内包」でもなければ、「マイナス内包」でもない。「現に」という現実性自体には、「中身・内実・内包」はない（あるいはどんな内包であっても関係がない）。「これ」「この」自体は、「無内包」なのである。

結局、永井が「第〇次内包」という一つの表現の中に押し込めていたものを、私は三つに腑分けしたことになる。すなわち、「（当初の意味での）第〇次内包」と「マイナス内包」と「無内包」の三つである。

前二者と区別して、「無内包」性を強調するのは、「現に」という現実性を正確に捉えるためである。というのも、「現実性」は「第〇次内包（クオリア）の現前性・顕在性」と誤って同一視されることがあるし、逆に「現実性」は「マイナス内包の潜在性」と誤って対立させられることもあるからである。

その同一視も対立も、どちらも誤りである。その理由は、「現に」という現実性は、そもそも「顕在／潜在」「現前／非現前」という対の両サイドに跨って働いているからである。「潜在性」は、単なる（空想上の）可能性ではない。たとえ顕わにならない仕方ではあっても、「現に」働いているがゆえに「潜在性」なのである。「現に働いている」のだから、「潜在性」もまた「現実性」の内にある。「現実性」は、「現前」の範囲を超えて「非現前」にも及んでいる。「顕在／潜在」「現前／非現前」という対の両方ともが、「現に」という現実性の内で働く。だからこそ、「現に」という現実性は、第〇次内包やマイナス内包という「内実」を超え出るのであり、その超出部分は「無内包」なのである。

III　もう一つのゾンビ

〈私〉・「これ」それ自体は「無内包」であって、特定の（あるいはそれ特有の）内包など持たない。このことを認めるならば、「ゾンビであること」の意味には、さらにもう一種類加わることになる。その点を考察する前に、永井の弁証法的な考察によれば、次の三者のあいだの重層的な関係が語られたことになることを、確認しておこう。

1. 私も他人もみんな、ゾンビであることは不可能である。
2. この私だけはゾンビであることは不可能であり、他者は必然的にゾンビである。
3. 私も他人もみんな、必然的にゾンビである。

1では、機能的な意識概念（第一次内包）の観点から、その意味での意識が不在であるようなゾンビが不可能であることが主張されている。2では、この私の現象的な意識（真の第〇次内包）の観点から、この私と他者の原初的な非対称性が主張されている。3では、機能的な意識概念（第一次内包）の観点から、あるいは機能化された現象的な意識（一般化された第〇次内包）の観点から、この私の現象的な意識（真の第〇次内包）が、累進構造の中では表せないことが主張されている。この三者には、次の4を追加することができるのではないか、というのが私の三つ目の論点である。

4. この私だけが必然的にゾンビであり、他者はゾンビであることは不可能である。

という「ゾンビ」である。私だけが特別な意味での「ゾンビ」であって、私以外はその「ゾンビ」にはなりえない。そういう第4の「ゾンビ」である。

第4の「ゾンビ」とは、「無内包の現実性」あるいは「現実（これ）の無内包性」というあり方のことである。すなわち、いっさいの「内包」と無関係に、とにかく「現に」というあり方をしているもの、それが特別な意味での「ゾンビ」である。独在性の〈私〉、現実性の「これ」こそが、すなわち「現に」というあり方こそが、この意味での「ゾンビ」なのである。「この私だけがゾンビである」とは、「〈私〉に実現しているこの性だけが、内包（中身・内実）とはいっさい無関係に、それが全てでありそれしかないような現実である」ということに等しい。

第4の「ゾンビ」とは、〈私〉のこの性には、「第〇次内包」も「マイナス内包」も無関係であることを表している。「無関係である」とは、「それらがあっても構わないが、それらがあることは、現実がただ一つで全てであることに何ら関わりがない」ということである。「もう一つのゾンビ」とは、「第一次内包としての意識」がないゾンビでもなく、「第〇次内包としての意識」がないゾンビでもなくて、いっさいの内包と無関係であるようなゾンビなのである。

もちろん、このような「無内包」状態もまた、累進構造の中に位置づけられる他はない。たとえば、その位置づけられた方には、次のような二つの方向がありうる。一つは、「私が無内包の現実ならば、他者（他の私）もまた、別の無内包の現実である」という方向。もう一つは、「「無内包」状態とは、第一次内包（機能的な意味での意識）だけがあって、第〇次内包（現象的な意識）がない状態のこと、すなわち「他人の心」状態のことである」という方向。どちらの方向も、「無内包」状態を別の状態へと読み換えてしまっている。「無内包」とは、「内実・中身とは無関係に、それが全てでありそれしかないこの現実が実現していること」なのであって、別の「無内包」など意味をなさない。また、「無内包」とは、いっさいの内包（内実）と無関係であることであって、特定の内包（第〇次内包）の欠如・不在のことではない。

p.61の1と3、2と4が対を成し、必然／不可能が互いに反転することもまた、累進構造と同様の、言語が見せる「夢」なのではないだろうか。「私」には、「他者にはない何かがある」と同時に、「他者と同等」でしかなく、そしてさらに「他者にはあるものがない」（他者には関与しているものが、私には無関係である）。「私」は、正の突出でもあり、平板でもあり、負の突出でもある。この三つすべてが揃い、しかもそのあいだを循環する（経巡る）こともまた、言語が見せる「夢」なのではないだろうか。

〈私〉・「これ」の「無内包」性に注目することは、「言えなさ」「語り得なさ」という問題にも、別の角度から光を当ててくれる。すなわち、「言えなさ」には、永井的な「語り得なさ」の他に、さらにもう一つの「語り得なさ」が重ね描きされる。

永井的な「語り得なさ」とは、絶対的な区別（この私／他者）も、相対的な区別（当人／他人）に変質せざるを得ないことである。一方、もう一つの「語り得なさ」とは、絶対的な区別である両項（この私／他者）が、無限に遠く離れているにもかかわらず、ある一点では接していて、その一点においては両項を区別できないということである。

その重要な一点とは、まさに「内包」が重要な意味において「ない」という点である。先述した「2と4」における、「他者は必然的にゾンビである」と「この私だけが必然的にゾンビである」に再び注目しよう。たしかに、前者のゾンビとは、「真の第〇次内包の不在」のことであり、後者のゾンビとは、「いっさいの内包との無関係」のことであって、たしかに別のことである。しかし、どちらも、「内包」が本質的な働きを演じないという、その「なさ」の一点において接している。「なさ」自体の内には区別などつけることができなくて、その意味で「なさ」は一つになってしまう。

同じことだが、「内包のなさ（無関係さ）」という交点では、正反対（と思われがちな）二つの立場が交わると言ってもよい。一つは、〈私〉の独在性・「これ」の現実性を、「無内包」として力説する立場であり、もう一つは、クオリア独自のあり方など認めない物理主義的・機能主義的な立場である。両者は、正反対を向きながらも、クオリア（感覚の第〇次内包）を「遊び駒」として（本質的な役割を演じないものとして）切り捨てる点においては、一致する。いわば、独在論的なゾンビ（必然的にゾンビであるこの私）と、機能主義的なゾンビ（必然的にゾンビである他者）とが、「内包のなさ（無関係さ）」という一点だけで手を結んでしまう。そうすると、その一点においては、それぞれに固有の（正反対であるはずの）「なさ（無関係さ）」に、差異線を引くことができなくなる。[7]

それに対して、両者（この私・他者）の「中間」に広がる領域、すなわち相対的な区別が成立する者たち（当人たち・他人たち）のところでは、「内包」の差異が重要な役割を演じる。内実・中身の違いによって、当人たち・他人たちのあいだには諸々の相対的な差異線が引かれる。

両極に位置する「この私と他者」には、「なさ（無関係さ）」の一点において区別がなく、一方、そのどちらでもない中間態（諸々の人々）においては、内実の違いによる種々の差異がある。

結局、もう一つの「語り得なさ」とは、差異線が原理的に引けないことである。すなわち、「ない」ということに本質的な「区別のなさ」のことである。永井的な「語り得なさ」は、相対的な差異線が引かれ続けてしまうことに由来していたのに対して、もう一つの「語り得なさ」は、差異線がそもそも引けないことである。こちらの「語り得なさ」は、言語によっては語り得ないということではなくて、むしろ、言語（差異の原理）がそこに不在であるということに等しい。

IV　二つの時間の原理と今秘性の不成立

実は、本稿のこれまでの議論の中では、正反対の「二つの時間の原理」が暗黙裏に使われている。一つは「時間の平等原理・等質原理」であり、もう一つは「時間の特異点原理・非等質原理」である。前者は時間の関係相、後者は時間の無関係相であると言ってもよい。[8]

「時間の平等原理・等質原理」あるいは「時間の関係相」のもとでは、次のように考える。「ある時点」が「別の時点」と関係を持ち連続する場合には、複数の各時点は、どれも基本的に同じ資格を持っていなければならない。たとえ各時点のあいだに何らかの違い（たとえば、過去なのか現在なのか未来なのかという違い）があったとしても、それは相対的な差あるいは一時的な差に過ぎない。過去・現在・未来は移り変わっていくのだから。このように、どの時点もすべて平等で等質的なものとして扱い、そこに連続性を認めるのが、時間についての「平等原理・等質原理」である。

一方、「時間の特異点原理・非等質原理」あるいは「時間の無関係相」のもとでは、次のように考える。「まさにこの時点」は、「別の時点」との関係から引き離されて自体化し、他の時点とは比較できない特異点として扱われる。「まさにこの時点」は、別の時点と比較（関係）したうえで特殊な性質・内容を持つのではない。そもそも比較（関係）が成立し得ないのである。「まさにこの時点」を、他の時点との等質性が一切ない特異点、他と決定的に非連続で単独的な時点として扱うのが、時間についての「特異点原理・非等質原理」である。

その「特異性」「非等質性」とは、「ある時点」を「まさにこの時点」にするもの、すなわち「まさに現在」「現に今」に含まれるような「現実性」である。「特異点原理・非等質原理」とは、時間の中に「まさに」「現に」という現実を穿つ原理なのである。

この現実性は、(「まさにこの時点」ではない)「別の時点」から言及しようとすると、可能的(仮想的)な現実性でしかなくなる。すなわち、現に働いている現実性ではなくなってしまう。言い換えれば、(「別の時点」からの言及ではだめで)「まさにこの時点」においてのみ、「可能的(仮想的)な」ではなく、現実的な現実性となる。「まさに」「現に」が付く特異点は、その外から迫る(関係する)ことができないからこそ、「無関係相」のもとにあって、他と決定的に非連続なのである。

第Ⅰ節の議論において、「マイナス内包」を「第〇次内包」に付加するときに、次のような時間の捉え方をしていたことを思い出しておこう。「「後」から生じうることは、いつ生じてもおかしくないし、「始め」から生じていてもおかしくない」。ここには、「時間の平等原理・等質原理」が使われている。「時間上のどの時点もみな、原理的に同等・等質である」と見なしているからである。この原理に基づくならば、「現在・未来に生じうることは、過去にも生じることができた」と考えてよいことになる。そして、この原理に基づくならば、過去・現在・未来という三様相の違いは、相互に置き換わっていく相対的なものにすぎず、過去も現在だったし、未来も現在になる。そこで、この原理は、時間を連続的かつ動的なものとして捉えることにもつながっている。「マイナス内包」導入の理路に

郵便はがき

料金受取人払郵便

神田局
承認

1743

差出有効期間
2023年12月31
日まで
（切手不要）

101-8791

535

千代田区外神田
二丁目十八—六

春秋社

愛読者カード係

＊お送りいただいた個人情報は、書籍の発送および小社のマーケティングに利用させていただきます。

(フリガナ) お名前	歳	ご職業
ご住所 〒		
E-mail 小社より、新刊／重版情報、「web 春秋 はるとあき」更新のお知らせ、イベント情報などをメールマガジンにてお届けいたします。	電話	

※**新規注文書**（本を新たに注文する場合のみご記入下さい。）

ご注文方法　□**書店で受け取り**　□**直送(代金先払い)** 担当よりご連絡いたします。

書店名	地区	書名		
				冊
				冊

ご購読ありがとうございます。このカードは、小社の今後の出版企画および読者の皆様とのご連絡に役立てたいと思いますので、ご記入の上お送り下さい。

〈書　名〉※必ずご記入下さい

●お買い上げ書店名(　　　　地区　　　　書店　)

●本書に関するご感想、小社刊行物についてのご意見

※上記をホームページなどでご紹介させていただく場合があります。(諾・否)

●購読メディア	●本書を何でお知りになりましたか	●お買い求めになった動機
新聞 雑誌 その他 メディア名 (　　　)	1. 書店で見て 2. 新聞の広告で (1)朝日 (2)読売 (3)日経 (4)その他 3. 書評で (　　　紙・誌) 4. 人にすすめられて 5. その他	1. 著者のファン 2. テーマにひかれて 3. 装丁が良い 4. 帯の文章を読んで 5. その他 (　　　)

●内容	●定価	●装丁
□満足　□不満足	□安い　□高い	□良い　□悪い

●最近読んで面白かった本　(著者)　　(出版社)

(書名)

㈱春秋社　電話 03-3255-9611　FAX 03-3253-1384　振替 00180-6-24861
E-mail:info@shunjusha.co.jp

おいては、このような原理が使われていたことになる。

一方、第II節での「無内包」性を強調する議論では、上記の原理とは正反対の「時間の特異点原理・非等質原理」が前提にされている。というのも、「無内包」の〈私〉・「これ」に、時間論的に対応するのが、「この今」「現実的な現在」だからである。「この今」「現実的な現在」という特権的な現在性もまた、「無内包」である。[9]「この今」「現実的な現在」というあり方は、「時間の平等原理・等質原理」からは出てこない。なぜならば、特権的な現在性というあり方は、三つの様相内の相対的な一つのポジションではなく、むしろ過去も未来もすべてがそこに含まれるような絶対的なあり方だからである。そしてまた、特権的な現在性というあり方は、「この現在だった」「この現在になる」ということが無意味であって、「まさにいま現在である」だけの現在というあり方だからである。だからこそ、「この今」「現実的な現在」は、連続的かつ動的なものとして捉えることが意味をなさない。このように、「無内包」についての議論には、「時間の特異点原理・非等質原理」の方が前提にされていたことになる。

もちろん、永井自身の議論の中にも、この「二つの時間の原理」に相当するものを見出すことができる。たとえば、通時的（p.22）・時制貫通的（p.29）に考える場合や、「現在はどの時点にもあります」（p.31）と言う場合には、「時間の平等原理・等質原理」が使われている。一方、すべては現在の中にあると考える場合、同じことであるが「過去そのものとか、未来そのものとか、無時間的事実そのものなんて、端的に存在しないではないか」（pp.23-24）と言う場合、あるいは「現在は唯一です。それは、現にここに一つあるだけです」（p.30）と言う場合には、「時間の特異点原理・非等質原理」

が使われている。

さて、永井が「今秘性」を否定するとき、どちらの時間の原理が使われているだろうか。「時間の平等原理・等質原理」であることは、明らかであろう。「意識の今秘性」は、「意識の私秘性」に対する時間的な類比として、質疑応答の中で言及されている（pp.107-108）。以下の引用が、その冒頭部分である。

――意識の私秘性という話が何度か出てきましたが、すべて時間との類比から論じられているわけですから、意識の今秘性というのもあることになりますよね？

いいえ、今秘性はありません。他人のクオリアを直接感じることはできませんし、日記に自分のクオリアを書き留めることもできませんが、記憶は自分の過去のクオリアに直接とどくからです。つまり、自分が感じた痛みの質そのものを覚えていたり、思い出したりできるのです。（p.107）

「今秘性はない」理由は、（言語的ではない）記憶によって、自分の過去のクオリアには直接届くことが可能だからである。この直接的な（非言語的な）記憶が、自己の同一性を与えている。記憶とは、かつて現在だった出来事を新しい現在に伝えることであり、自己に直接的な連続性を与えるものなのである。要するに、他人と私を直接つなぐものはないので「私秘性」が成立するが、過去と現在の場合には記憶があるので「今秘性」は成立しない。過去と現在の（記憶による）連続性を考えているので、「時間の平等原理・等質原理」が働いていることになる。

私の一つ目の疑問は、こうである。「記憶は言語的ではない」とされているが、「記憶は概念依存的である」とは言えるのではないか。もちろん、ここでの「概念」とは、「第〇次内包」が文脈から自立する際にもけっして手放すことのなかった、「痛み」や「酸っぱさ」等の「一定の囲い込み」のことである。つまり、記憶によって過去のクオリアに直接届く際にも、それが或る定まったクオリア（たとえば、「昨日のチクチクした痛みのクオリア」）であるかぎりは、何らかの概念（ここでは「チクチクした痛み」）に依存している。そしてその依存を通して、たとえ間接的にではあっても、「第一次内包」という言語習得の場面への紐帯も残していることになる。要するに、「第〇次内包」としてのクオリアは、言語からある程度は自立している質感であることは間違いないが、その自立は、（言語とまったく無関係なほど）完全なものにはならないと思われるのである。

第二に、「記憶は言語的ではない」における「言語的ではない」ことをもっと強めようとすると、「第〇次内包」から「マイナス内包」の水準に移行せざるをえないのではないか。「マイナス内包」とは、「概念」の囲い込みからも自立する水準（潜在的なクオリア）を認めることであった。たしかに、その意味において、「マイナス内包」は言語的ではない。ところが、「マイナス内包」の水準では、こんどは「記憶」がまともな「記憶」としては成立しなくなるのではないだろうか。というのも、そもそも「特定のものとして」「安定的に」感じられるものではないのが、潜在的なクオリアである。明瞭に輪郭を伴って感じられないものを、まともに記憶しておくことなど、できないのではないだろうか。

しかしなお、「まともな記憶」にはならなくとも、「かつてそいつを内側から生きていたという記憶らしきもの」（『転校生とブラック・ジャック』、岩波書店、p.24）とは言えるかもしれない。「マイナス内包」といえども、「それを内側から生きていたはずの、何らかの感じ」ではあるのだから。

ここまで後退（前進？）するならば、たしかに「連続性」「持続」の存在は認めざるをえない。そして、この連続性・持続に基づくならば、永井の言うとおり、「今秘性はない」ことになる。ただし、それを可能にしている紐帯とは、ふつうの意味での記憶（明示的な内容を持った記憶）ではなくて、むしろ記憶らしきものであり、あるいは言語化・概念化されない内的な感じである、と言うべきだと私は思う。したがって、次の引用文中の「現象的な質」とは、「第〇次内包」としての質感というよりも、「マイナス内包」としての（「感覚」とさえ呼べない）何らかの感じである、と私は読み換えたい。

（……）現在においてだけ現象的な質を体験しても、それを保持できなくなりますから。そうなったら、自己同一性の、つまり自己が同一的であるということの、重要な感覚が失われるでしょう。要するにわれわれは、自己として、過去の自己と現象的につながっているのでなければならないのです。そうでなければ自己的なつながりの重要な要素が失われるからです。(pp.107-108)

たしかに「時間の平等原理・等質原理」に基づくかぎりは、上で述べたような意味においてという限定をつけたうえで、「今秘性はない」。しかし、「時間の特異点原理・非等質原理」に基づくならば、どうだろうか。「時間の特異点原理・非等質原理」に基づくということは、「この今」「現実的な現在」という特権的な現在性において考える、ということである。そして、「この今」「現実的な現在」は、「無内包」である。

「無内包」ということは、特に秘すべき質などないということになる。その質（内包）がなければ「この今」「現実的な現在」にならないような、そんな質（内包）などないということである。したがって、こんどはその意味において、「今秘性はない」ことになる。つまり、「今秘性がない」ことが「連続性・持続がある」ことにつながるのではない仕方で、「今秘性はない」のである。そもそも何らかの「質感（感じ）」とは無関係であることが「無内包」なのだから、「質感（感じ）」にかかわる「今秘性」の成立も不成立も、ともに意味がない。

ただし、この意味においてならば、（「今秘性はない」だけでなく）「私秘性もない」ことになる。なぜならば、〈私〉も「無内包」だからである。〈私〉には、それが全てでそれしかないという現実性のみがあって、隠されている「質（内包）」などない。〈私〉とは、他人に対して秘された質感でも、もちろん公的な共有された質感でもなく、そういうことと無関係にただ現に在るものである。[10]

最後に、これまでのすべての考察を折り畳んで仕舞い込むつもりで、次のように表記しておこう。「〈私〉とは、特定のクオリアを持つことなく、質（内包）とは無関係に、ただ現に在ること――現に働いている現実性――である」。

1　「第一次内包」については、二つの重要な点がある。一つは、「マクロのふるまい」との因果的な連関の中に位置づけられている、という点である。もう一つは、p.48で言われているように、「あのような感じ」には私秘性はなく（私秘性があるのは「第〇次内包」）、むしろわれわれに共有されていて公的なものである、という点である。ただし、われわれに共有されている「感じ」であるということは、われわれの世界に限られている「感じ」であるということでもある。まとめると、「第一次内包」＝公的に認知されている「感じ」であるのに対して、「第〇次内包」＝私秘的な質感（現象的な質）である。

2　「関係」とは、たとえば、「第一次内包」と「第〇次内包」との「包み込み」や「裏打ち」であり（cf. p.14）、「第一次内包」と「第二次内包」のあいだの認識論／形而上学の関係である（cf. pp.60-65. など）。

3　たとえば、前者は後者にまったくスーパーヴィーンしないという仕方で、強い独立性を持つ。このように「第〇次内包」と「第二次内包」とのあいだに強い独立性を認めることは、「主観的な世界」と「客観的な世界」の十全な（真に二元論的な）成立を認めることに相当するだろう。

4　p.89の「原初の現実の本物の現象的なクオリア」という言い方は、「第一次内包」に転化することのない「第〇次内包」を何とか言い表そうとしている。ただし、その表現の直後に、「痛み（酸っぱさ、不安、憂鬱……）であるこれがある」と言われていることからも分かるように、累進構造の中での相対化を免れることは意図されてはいても、概念化自体を免れることは意図されていない。しかし一方、「マイナス内包」という言い方の意図は、そちら（概念化自体を免れること）にこそある。

5　拙著『ウィトゲンシュタイン「私」は消去できるか』（ＮＨＫ出版、シリーズ・哲学のエッセンス、二〇〇六年）第三章を参照。

6　実は、「現実性」にも、認識論的な意味での「現実性」と、存在論的（形而上学的）な意味での「現実性」がある。前者は、世界が現にどうなっているかにおいて、その「どのようであるか」に依存する意味での現実性である（cf. pp.62-64）。一方、後者は、そのような現実世界の様態（あり方）には依存しない現実性である。それ故、いったんはクリプキ的な「可能世界」の議論を経由する方が分かりやすいかもしれない。つまり、諸可能世界の想定を経由したうえでなお、その可能世界のうちの一つとしての「現実性」ではなくて、可能性の想定自体もまたその中でしか行われ得ないという「現実性」であり、その「現実性」の外に相並ぶ可能性などないという「現実性」である。この外のない唯一的な現実というあり方こそが、存在論的（形而上学的）な意味での「現実性」であり、「この」「これ」が表そうとしているものである。

7　クリプキにおいては、「現実世界」「可能世界」の装置によって必然性を考える場面が「形而上学的」と呼ばれるのに対して、私の用語法では、どんな「可能世界」「可能性」であっても、「現実性」からは逃れようがないというような「現実性」こそが、「形而上学的」である。

8　そのように正反対の2と4が短絡すると、「私も他人もみんな、必然的にゾンビである」へと——すなわち3へと——変質するだろう。さらに2と4のもう半分どうし「この私だけはゾンビであることは不可能である」と「他者はゾンビであることは不可能である」が、短絡すると、「私も他人もみんな、ゾンビであることは不可能である」へと——すなわち1へと——変質するだろう。1と2と3と4のあいだには、そのような短絡と循環の関係がある。これもまた、言語が見せる「夢」なのではないだろうか。

時間の関係相と無関係相については、拙稿「時間のメタ様相と二つの運命論」、『紀要』（青山学院大学文学部）49号、二〇〇八年一月、pp.177-195. を参照。また、時間の二つの原理と「私の死」の問題の関連について論じたものとして、拙稿「「私の死」と「時間の二原理」」、『時間学研

究』第3巻、二〇〇九年九月、pp.17-30. も参照。

9　「この今」「現実的な現在」だけに特有の「内包」を探そうとしても無駄である。たとえば、「直接体験」のようなものを、その「内実・中身」にすることはできない。なぜならば、過去にもその時点での「直接体験」はあったのだから、「直接体験」という点だけでは、過去と現在（この今）を区別することはできないからである。区別しようとすれば、再び「この今の直接体験」とか「現に起こっている直接体験」と繰り返さざるをえない。その二度目の「この今の」「現に起こっている」は、「直接体験」ではない無内包のものであらざるをえないのである。

10　ただし、「私秘性」を、「意識の私秘性とは、（……）存在論的に並列不可能であるがゆえの私秘性なのです」（p.145）と正しく考えたうえで、さらにその「存在論的」を「内実・質などと無関係にただ在ることに関わる」と捉えてもよいならば、「私秘性はある」と言ってもよいと思う。ただし、この意味においてならば、（「私秘性はある」だけでなく）「今秘性もある」ことになる。

2

永井均との討論

永井　Ⅰ・Ⅱ・Ⅲ・Ⅳの中で、Ⅱの論点が一番重要で深いと思います。Ⅲ・Ⅳは入不二さん固有の思考法がよく出ていて面白いですけど。そこはちょっと突出した感じがしますけど、Ⅱは深く絡んでいて、なかなか難しい問題があると思います。Ⅰは、これまでにもある問題だと思います。つまりある種の哲学の中で論じられたことがある問題で、マイナス内包というものをむしろ拒否するという考え方を、ウィトゲンシュタインとか、あるいはダメットとか、そういう人たちがむしろあえて主張したわけですね。マイナス内包というかたちで潜在化させることはできない。いわゆる顕現というものが必要なのだと。つまり、意味連関から自立したかたちでその存在を語ることはできないのだ、というようなことを言っただろうと思います。私は、少なくともこの『哲学塾』という本の中では、その立場に立っているんです。その立場に立っていることは、実は入不二さんのおっしゃるように、Ⅱの問題とは独立なんですね、実は。Ⅱの問題に関する議論と別の、一つの哲学的前提に立って、つまり反実在論的立場みたいな立場に立って、論じています。で、この入不二さんの議論の中で一番優れている点は、このことがⅡと独立であるということを強く打ち出している点ですね。私のこの本は曖昧に書いている。だから、読んだ人は、何かつながりがあるんじゃないかというふうに、なんとなく読んでしまう。実は独立だということをはっきりさせて、マイナス内包というのと無内包というのをはっきり分けているところが、この入不二さんの発表の非常にいいところで、まったくそのとおりなんで、しかもそのとおりなだけじゃなくて、非常に重要なことだと思います。

そこを認めておいて、じゃあマイナス内包の方を認めるかどうかということは、それは一種の立場決定みたいなもので、大して重要じゃないと思います。このような点について論争してたり争ったりすることはよくあるけども、実はどっちでもいい、と。というのは、立場の違いがクリアなので、どっちを採ってもそんなに大した哲学的な意味はない。どっちを採っても、同じ図式を共有した上での一つの立場決定になるので。

で、私は、ある意味でですね、マイナス内包なんてやっぱり無い、と考えます。なぜかというと、そもそも言語ゲームにつながってないものは無意味だ、と。さっき入不二さんの例では「痛み」になっていますけど、「痛み」だと、痛みはふるまいとの関係ですからちょっとわかりにくいので、色で考えますと、例えば「赤」っていう色を我々は学びますね。子どもがどうやって学ぶかというと、いろんな赤いものがありますね、トマトとか血とか夕焼けとか。そういうものが与えられます。そういうものから、「赤」という言葉を学びます。それで、第一の逆襲ができるのは、ああいうものがみんな青く見えるよと、僕はああいうものが今日から青く見えるようになっちゃったよと、他の人には赤く見えているのだろうけど、僕には青く見えるようになったよと言える、そう主張できる権限を確立するっていうことですね。なぜかというと、いったんその「赤」という言葉を学んだからだ、と。学んでから後だったならば、「赤い」はずのものが、私には「青く」見えるとか、そういうことを言うことができて、しかもそれが認められる、ということです。それに対して入不二さんが付け加えたことは、もしそれができるのであれば、「赤」という言葉を学ぶ以前にもできるはずじゃないかということですね。

確かにある意味ではそう言えそうな感じはしますね。「赤」という言葉を学んでそれができるのであれば、それ以前にだってそういうことはありうるはずだ。つまり最初から赤いものが青く見えている人がいてもいいはずじゃないか、ということです。これは考えてみれば、そうも言えそうな感じはしますよね。つまり「赤」概念を学んだ後で、赤いものが青く見えることもある、ということを認めた以上は、「赤」概念を学ぶ以前に、その赤いものが青く見えることがあるということは、なぜあってはおかしいのか、というふうに。しかしここで、言語の習得というものを極めて本質的に受けとって、そこから話が始まるんだと考える人にとっては、いやいやそこの断絶は極めて大きい、ということになります。つまり、「赤」概念を学んだ後にしか、「赤く」見えないということはそもそも起りえないのだから、その前段階で、「赤い」ものが実は「青く」見えている人なんてありえない。あるいはその想定は無意味だといえるわけです。まだ「赤い」という概念を習得していないところで、実は「赤」が他の人と違うふうに見えているとか、前と違うふうに見えるようになったとか、そういうこと自体が、そのゲームが成立していないわけですから、それは全然無意味な想定である、というふうに言うという立場が十分ありえて、私はどちらかというと、その立場に共感を感じます。

入不二さんの言うような方向に突破して行くのもある種魅力的ですけど、それは、その方向でもうちょっとうまく、面白い話が出れば、そっちに乗り換えてもいい、ということで。これは大した違いじゃないからで、乗り換えても乗り換えなくても、私自身にとってはあまり深い意味がないので、どっちでもいいかな、と。しかし、今のところは、マイナス内包を拒否してみようと思います。

むしろですね、IからIIへの移行のときに、私としてはこう言いたいのですね。だから、マイナス内包なのではなくて、無内包なのだ、と。マイナス内包なんか無いのだ、と。入不二さんの用語を使って言うならば、マイナス内包なんていうものは実は無くて、それはむしろ無内包のことを言おうとして、そのことから出てくる一種の錯覚みたいなもので、本当にあるのは無内包性という言葉で入不二さんのおっしゃっているようなことなんだ、と。……というのはいま思いついたのですけど、まさにいま思いついたのですけど（笑）、そう思いました。

で、無内包の話は、これは大きな話で……、そうですね、これについて問題がどこにあるか、つまりある意味で入不二さんがおっしゃっていることに全部賛成なので、そのとおりと思うし、私がごちゃごちゃしていることをクリアに分けてくれたので大変分かりやすくなってよかったのですけども、ただ問題がやはり残っていて、無内包って本当に無内包なのかという疑いがあるわけです。例えば、「この私」という言い方をしますよね。それから、「この今」という言い方をしますよね。「今」というのは、どの時点も「今」だけど、「この今」だけは本当の今ではないかと。「現実の今」とか「この今」とか言いますね。それで、「この世界」とか、いろんな言い方がありますけど、そのときの「この」というのは、そのあとに「この『私』」とか、「この『今』」とか、何かがつくわけですね。何か中身、それこそ内包、内容。それをつけないで、「これ」と言って、本当は「これ」だけだと言って、強調するためにそういうふうに言うことはありますけど、とは言っても、「これ」ってだけじゃ何を指しているかわからないじゃないですか。実際ですね、「意識」とか「心」とか、あるいは「今」とか「私」とか「世界」とか、そういう複数個の事例をもちうるある内包というか、ある特殊な概念を前提にしておいて、そのうちの一つが現実的である、という言い方で特別だと言うことはできます。だけど、そういうものを抜きにしちゃって現実だと言ったって、何を言っているかわからないですね。そういう意味では、何かから本当にアクチュアリティだけが自立する、「この性」だけが自立することは、やっぱり不可能なのではないか、という問題がここにあると思います。これはあとで青山さんが出してくれるであろう問いとつながることになると思いますけど……。入不二さんの議論はそこのところで、無内包のアクチュアリティを非常に自立的に、かつ、どう言ったらいいですかね、文字どおりあらゆる内容から独立的に、離存的に――古い哲学用語ですが「離れて存在する」という意味で――離存可能なものとしての現実性みたいなものを強調されているのだけど、本当に離れられるかという問題があって、何かにくっついたかたちで、それの中で特に一つのものが……、という言い方というか、そういう捉え方しかできないのではないか、という問題があるわけです。

入不二　「この」とか「これ」がつくものは、例えば「私」とか「今」とか、一定の範囲があるんじゃないか、ということに関してまず言いますと、最終的には、特定のものだけにつくのではないと思います。結局は、何にでもつく。「この性」を納得することの内には、「私」や「今」や「意識」などの領域に限定されないありとあらゆることが「この性」の内にあるということに気づくことが含まれていると思うからです。「この」は、一見複数のものの中から選び出す働きをしているように見えて、実はそうではないのだということに気づく、と言ってもいいです。いや、これは永井さん自身がそういうふうに言っていると思うのですね。さっきの記述うんぬんのところで、ある意味で何が来てもいい。もちろん、わかりやすくするために「私」とか「今」というところから話を始めて行きながら、結局は何にでもつくことに気づくという、言わば手順……。永井さんのところでは「言い方」としてたぶん強調していたと思いますけど、それは「言い方」の問題であって、むしろ本質的には、何にでもつく。

永井　「何にでもつく」というのは、「このコップ」とかそういう……？

入不二　そうです。「この世界」とか。

永井　いや、だから、この意味が付与できるものは、「世界」とか、「今」とか、「私」とか、そういう種類のものしかないんじゃないかって。で、そういう限定は何がしているか、ということが問題なんだと。

入不二　言い方の問題として、あるいは理解の順序の問題として、まずは、どれを選んで「このX」と言うのがいいのかという問題は、確かにあると思います。けれども、最終的にはどれにでも……、「どれにでも」というのは、別にXは特定の領域に限られない、つまり、ほんとうはXはなんでもいい、という意味ですよ。そういう限定のなさ、複数のものから選び出すのではないということが、むしろ、現実性を表す「この」には含まれているのではないかと思います。それとの関連で、じゃあ離存するのか、という問題があります。私の言い方は、かなり危ういことは事実ですが、でも、離存するとまでは思っていないのですね。区別と分離というのはもちろん違うわけです。分離して現実性だけがふわふわ浮いているみたいなことが可能かと言われると、そんなふうには考えていないわけです。あくまでも、「この」がつくものはなんでもかまわないということは、「この」が特定の内実とはいっさい無関係であるということなのであって、それを「無内包」と表現しています。ですから、「この」は「X」から決定的に区別されるし、「X」に依存しないとまでは言えても、「この」だけで離存するとまでは、考えていないのですね。

上野　それは入不二さんの原稿の中で、無関係であるということと、内包がくることを禁じることと、区別してませんか？　それと関係あると思うのですけど……。

入不二　そうですね。つまり、内包が一切きてはいけません、絶対に中身が無いのでなくてはならない、とは言ってないわけですね。そうではなくて、中身が実際現にあるし、あるんだけど、それはいっさい、現実を現実にすることに働きをもっていない、という無関係性のところだけを捉えて、無内包だと言っていることになります。だから、離存とは考えていない、ということです。

永井　そこはちょっと難しくて、今度は「現実性」という内包が成立してしまう可能性はどうですか？　それは累進構造ということからすればあるはずなんですね。

入不二　そうですね。累進構造の中ではあると思います。

永井　だからそういう意味で、「現実性」というのもまた内包化されることになっていて……。

入不二　まさにそのとおりで、同じことを私なりの別の言い方で言うと、現実とか現実性の中には、存在論的な最上段の場面と、認識論的な、つまり現にこうこうこうだよという、その「こうこうこうだよ」という内実の方に力点があるような、まあ認識論的といっておけば、その存在論的な意味と認識論的な意味の両方が、「現実」「現実性」ということには入っているのであって……、ということになると思います。前者の意味での「現実」「現実性」は無内包で、後者の意味での「現実」「現実性」には内包が深く絡んでいる。そして、累進構造の中では、この両者が幾重にも組み合わさっている。

永井　これはまあ、また後で青山さんのときに話が出るはずなので、ちょっととっておきますか……。で、先に次のゾンビの話に行きますけど、このゾンビの話は……、僕はこれと極めて似た話をですね、極めて同じようなことをかつて考えたことがあるんです。しかし全然逆に考えていて、不思議な気がしました。僕はゾンビの逆というものを考えたんです。ゾンビというのは、ごく簡単な定義で言うと、意識が無い人間、身体という外身だけがあって意識という中身が無い人間ですね。で、そのゾンビの逆って何かというと、外身がなくて中身だけのやつ、つまり意識だけのやつですよね。意識だけあって、身体とか脳や神経とか、そういったものが無いんですね。僕は授業で話したとき、ゾンビの逆だったらビンゾだと言ったんだけど。ビンゾって言っているうちに敏三さんっていう人がいるみたいな気がしてきて、敏三さんと名づけました。敏三さんは身体が無くて意識だけ、それって伝統的には魂とかそういうものですよね。そして、デカルト的自我といわれているものも、敏三なんですよね。身体も何も無い、そのときの意識だけなんですね。

それって、ある意味では、この性、現実性だけがある、というふうに解釈することもできると思います。だからこそ、デカルト的自我というのはどう解釈するかということに、いろんな解釈の仕方がありうるわけですね。それも先ほどの話とつながっているわけです。そうすると、私の意見では、この話はゾンビにいろんなものがあるというより、ゾンビとビンゾの、ビンゾっていうか敏三って言うかわかりませんけど（笑）、ゾンビとビンゾの組み合わせとして考えた方がよくて、1と3は、たぶんゾンビでもビンゾでもどっちでも言えるんですね。たぶんというか、必ずそうなんですね。それに対して、2はゾンビに関する議論で……、ゾンビに対してだけ言えて、4はビンゾについてだけ言える、みたいになるかと思います。

なぜかというと、ビンゾ性というのは私について成り立つことであって、ゾンビ性というのは他者について成り立つ。なぜ他者と私に割り振られるかというと、それは非常に簡単なことで、「他者」っていうのは身体とか外側だけが見えている存在で、「私」というのはその逆にいわば中身だけが与えられている存在だからです。そこで、「私」の「現実性」ということがいろんな意味で、いろんなレベルで、成り立つことになるわけです。累進構造によって、一つしかないものの一つしかなさを複数のものに割り振っていって、一般的な複数個存在する「自己」を成立させて、そのそれぞれの「自己」に「他者」がいると考えれば、「ビンゾ」と「ゾンビ」の関係も同じように拡張されていきます。というふうに、「ビンゾ」には本質的に累進構造が宿るので、それが「ゾンビ」概念に宿ることになる累進構造の根拠になっている、と考えることができます。

で、これは実質的には入不二さんがここで言われていることと、型としてはほとんど同じなんですね。不思議なことに、でも主張として考えると逆みたいな、対立しているみたいな気もするし、同じようなことを言っている気もするので、これを読んだとき非常に不思議な気がしました。ある意味ではここで言われているとおりのことを、私としては対立的に、というか対比的にですね、ゾンビじゃないものとして、ゾンビのちょうど逆のものがありうるんだということとして、ちょうど真逆にして同じ形式の議論が成り立つんだというふうなかたちで、考えたことがあるということです。

入不二　それでもいいですし、面白いのですが、私はわざわざ同じ「ゾンビ」という言い方にこだわった。まあ、同じ表現をあてているところにポイントがあるんですね。先ほど永井さんが敏三といって、それは魂とか純粋意識みたいなものに相当するというふうに言ったわけですけど、魂にしても純粋意識にしても、やっぱり、特に意識という言い方をすれば、それはなんらかの中身を伴った意識であって、意識されている時の内包に相当するものが、やっぱり入ってくるわけですね。そのような意識が（中身が直接分かるという仕方で）私にだけはあって……、というかたちで内包が残ってしまう。というふうになるのが、敏三の方になると思うのですけど、その中身・内包を削ぎ落としたいというのがポイントなわけです。無内包ですから。

で、そこを削ぎ落として現実性だけっていうところにさっき行こうとしたわけですが、私以外の他者には意識と中身のつながりが非常に強いかたちで残る。そういう意味では、内包とのつながりがある方が他者なわけですね。つながりがある方が普通であって、そのつながりが無関係という仕方で切れてしまう方がむしろ普通じゃないわけです。その普通じゃない方（中身と無縁のあり方）をゾンビっていう言葉のもう一つの意味に充てたかったわけです。というぐらいの違いだと思うのですけど……。

永井　そうですね。そのことはそれでいいです。私がちょっと聞きたいのは、敏三というのは、意識なんじゃなくて、現実性なんだと……。

入不二　そういうことです。

永井　だとすると、本当の、真の敏三というのがいたとすると、それは魂でも霊魂でもなくて現実性だけ……、どういうお化けなんだか意味がわかんないけど（笑）。魂ぐらいの方がまだかわいいというか、いてもよさそう（笑）。そんなとんでもないお化けであるにもかかわらず、「私は敏三である」あるいは「私はひょっとしたら敏三かもしれない」という言明はいわば必然的に成り立つ。いろんなレベルで、累進的に。

四番目の時間の問題は、一番目のときに出てきた、私は「赤」で説明しましたけど、「赤」、「赤い」という概念を学んでから後で、つまり、さっきの話では、夕焼けとかトマトとか血とかああいうものが「赤」だと学んでから後で、僕は赤いものが赤く見えない、と言えるようになる、という話をしましたけど、それができるならば、それ以前にも、普通の人と色が逆に見えているとか、違って見えていることがありうるだろう、っていう話は、この時間に関する平等原理をとるか、それとも特権原理をとるかとは関係ないのではありませんか？　それとは独立で、どっちをとっても言える話だと思います。だから基本的には、あの話とこの話は独立で、あの話は別に、過去・現在・未来という話とは関係ないだろうと思います。だから、「赤」という概念を習得するという段階が、どこにあってもかまわなくて、それは過去であってもいいし未来であってもいい。そういう概念的な関係なので、時間に関してどっちの原理をとるかっていう問題とは独立ではないか、というのが私の最初の直観です。

ついでにその後のところも全部順番に考えていきますと、うん、これは全部肯定してかまわない、ですね。「記憶は言語的ではない」「持続は言語と全く無関係にはならない」。もちろん、全く無関係にはならなくて、要するに、これもあとで確か青山さんの質問の中にあるんですね。自分の場合の記憶と同じことが他者との間に成立することは不可能なのか、という質問があったように思いますけど、そういう意味で、たまたま他者の心とか意識を質的に直接わかるってあり方が我々に無い。それに対して記憶というのは、例えば、昨日やけどをしたならば、その痛みそのものを覚えている、痛みという概念じゃなくて、その痛みそのものを覚えているとか、痛みという概念といっしょになって痛みの質そのもの、痛みのクオリアそのものを記憶することができる、ということだけでいいので、普通の意味での第〇次内包を伴っているというだけでかまわないと思います。

その次のところもそうですね。だから、マイナス内包へ行く必要は必ずしもないと思います。言語的でないということを強調するとそうなるだろうってことでしょうけど、あまり強調しなくていいと。言語的でなさ、というのは、そこまで強調する必要はないと思います。その次のところはですね……。

入不二　ちょっと、いまのところですけど……。永井さんの本の質疑応答の中では、その言語的でないってことを、ものすごく、むしろ強くとっているんじゃないですか？　記憶が言語的であるとすると今秘性が成立してしまう、言語的でないからこそ今秘性は成立しないという言い方になっていると思うのですけど……。

永井 ええ、だから、強くとっているというのは、必ず第〇次内包がある、伴うという意味です。記憶に関しては、クオリアとか感覚が、直接記憶できる、ということです。だから、マイナス内包である必要はない。

入不二 じゃあ、逆に聞きますと、「言語的ではない」っていうのは、第〇次内包、クオリアが伴っているということだとすれば、完全に言語に依存しているというのは、むしろそういうクオリアが無い、第一次内包だけ、みたいなのがむしろ強い意味での言語的っていうことになる……。

永井 そうです。他者との関係の場合がまさにそうです。他者との場合には、他者が感じているものを直接感じることができなくて、自分の過去の場合には、過去に感じたその感じそのものを覚えていられるわけであって、その感覚を正しく覚えていられるかどうかはわからないけど、その概念ではなくて感覚そのものを伝達できるわけです。で、これはその次のところに関係していて、「記憶らしきもの」って言ってるのは、これは apparent memory の、私が訳した訳語なんで、quasi memory、つまり疑似記憶と、ちゃんとした記憶とを両方包括しているものとして、apparent memory っていうのがあるわけです。それがつまり記憶らしきものなんですね。記憶らしきものっていうのは何かって言うと、本当に正しい記憶なのかどうかはわからないわけです。過去に事実そういうことがあったことを正しく覚えているかどうかとは独立に、そうであろうとあるまいと、とにかく記憶のように思えるもの、っていうのが記憶らしきもので、つまり記憶らしきものっていうのは、必ず直接体験の、クオリア的なものを伴っているわけです。で、これを伴っているということが、自分が持続しているということにとって重要な意味を持っているので、それに対して他者との関係に関しては、それがない。本当の重要な哲学的問題は、それがあるかないかっていうことが、他者と自己という問題にとって本質的かどうかってことだと思います。つまり、その無さこそが他者というものを定義しているのか。この区別こそが自己と他者の区別の言わば本質であって、このことが自己と他者の違い、あるいは自己の持続と他者の理解との違いを、定義しているというほど強いものなのか、それとも違いの本質は別のところにあって、これはたまたまそうであるにすぎないのか、ということは重要だと思っているのですが、まだちょっとよくわかりません。このことに関しては、その程度のところまでしか考えていないんです。

入不二　ちょっとさっきのことにこだわるんですけどね。言語的だと今秘性が成立してしまうって話になっていると思うんですよ。先ほどのように考えたときに、つまり、「言語的ではない」ということをそこまで強く考える必要はないとした場合に、どうして「言語的である」ことが今秘性を成立させてしまうのでしょうか？　これは、逆方向からの質問ですね。先ほどの「言語的ではない」は、クオリアが伴っている程度でいいのだ、という答えだと思うんですよ、さっきのはね。クオリアが伴っているという程度で、過去と現在は繋がるのでOKなんだ、というのがさっきの答えだと思うのですが……。

永井　それじゃあ、あれですか？　他者に関して私秘性が成立すると……。

入不二　クオリアが伴っていないという意味での「言語的である」ことは、必ずしも今秘性を成立させないのではないかと……。

永井　私秘性が成立するっていうのは、要するになぜかって言えば、他者の感じていることが感じられないから。だから私秘性が成立する……。

入不二　他者の場合には、言語はクオリアを連れてきてくれないから……。

永井　そうです。

入不二　「言語的である」の意味にこだわっているわけですが、現在のところにはどうしてクオリアが認められちゃうんでしょうか？　過去のクオリアだけを連れてくることができない言語っていうことですか？　「言語的である」っていうのは、「クオリアを伴わない」という話だと思ったので、「言語的である」というのは、要するに、過去のクオリアを連れてこないのはもちろんだけど、現在の言語使用にもクオリアは無いことになるんじゃないかと思ったんです。つまり、「言語的である」とは「クオリアを伴わない」ことだ、というのを強くとるとすると、過去だけでなく現在のクオリアも伴わないことにならないのかと……。

永井　そうするとどうなります？

入不二　そうすると別に今秘性が成立はしない……。「今」のところに、そもそも秘すべきクオリアなどないことになりますから。そういうのを今秘性って言わないいんじゃないか……。

永井　ああ、そうですね。でも、いや、僕が言ったのはもっと極めて単純なことで……。

入不二　現在だけはとにかくクオリアがあったうえで、言語が過去のクオリアを連れてくることができないから、「言語的であることが今秘性を成立させてしまう」というように考えていたわけですね。

永井　はい。言語だけだったらそうなってしまうであろう、と。それは自分が他人になってしまうことではないか、とね。

▶ 第Ⅱ部

上野修セクション

「真理条件」

「雪は白い」という文が真なら、雪は白いのでなければならない。逆に、雪は白いとすると、もちろん「雪は白い」という文は真でなければならない。「雪は白い」という文が真となるための条件は雪が白いということだ。こういう条件を文の真理条件という。

タルスキも言っているように、実際に雪が白いから真になるのだというわけではない。大気汚染でどす黒い雪が積もっていても、「雪は白い」が真になる条件はやはり雪は白いことである。だからこそ、そういう場合、今年の雪は白くなんかない、「雪は白い」は偽である、と言えるようになっている。くどいようだが、「雪は白い」が真になるのは雪が白い場合に限るのであって、たとえ雪が白くなくてもその条件は変わらない。本当に雪が白いかどうかということとそれは独立である。

われわれは本当にそうなっているかどうか知らなくても、真理条件は知っている。たとえば、「神は存在する」という文がもし真なら、神は存在するのでなければならない。もし神が存在するなら、もちろん「神は存在する」という文は真である。このことは神が存在するかどうか知らなくても知っている。さもなければ神の存在についてあれこれ議論することすらできないだろう。ということは、文の真理条件を知っているということは、それが真理だと知っていることではなくて、少なくとも何が言われているかは知っているということではないか。実際、われわれは偽に決まっている文についてですら、もしそれが真だったらどうなっていなければならないか知っている。「犬はニャンニャン鳴き、猫はワンワン吠える」という文がもし真ならば、犬はニャンニャン鳴き、かつ猫はワンワン吠えるのでなければならない。文の真理条件がわかるということは、その文の意味がわかっているということなのである。このような意味の考え方を真理条件的意味理論という。

このことは、文を真と見なす能力がなければ意味を理解する能力もないということである。そういう意味で、「真理」はすべてに先立つ原始概念でなければならない。デイヴィドソンの「根元的解釈」の理論はこの考えに立っている。他者の発話を解釈できるためには、まずはその文をあたかも真であるかのように見なすことができなければならないのである。

「大文字の他者」

だれでも一度は赤ん坊だった。そして一人の例外もなく、他者から言葉を教わった。われわれがいま自分の言語だと思っているものは、もとは他者の言語だったのである。

端から見ると、たいていの場合その他者はお母さんである。けれども、初めて言語というものに遭遇する赤ちゃんからすれば、それは、何だかわからないが何か言っている不可解な声の存在に違いない。このような、最初に出会われる言語の存在、これがラカンの言う「大文字の他者」（l'Autre）である。人というよりは、むしろ意味するもの（シニフィアン）がそこからやってくる彼方のようなものを考えているので、ザ・他なるもの、という意味で定冠詞付き大文字で始める。ラカンの想定では、赤ちゃんは最初に、そういう他なる声が言っている何だかわからないXとして自分を見いだす。何だかわからないけれど何か言われている自分を見いだすのである。それは「主体」(sujet)と呼ばれる。sujetというフランス語は「主題」とか「従属する者」といったニュアンスがある。赤ちゃんはまずは大文字の他者の側に出現した不可解な主題Xとしてこの世に登場する。以来、この主題がチャラにされたら存在できないので、赤ちゃんは大文字の他者としての言語に絶対的に従属する者となるであろう。そうやって、子どもは言葉が言おうとしていることを知ろうとし、爆発的な言語学習を開始する。

コミュニケーションというと、われわれは「あなた」と「私」という対称的な相互性をつい考えてしまう。そのときの「あなた」と「私」は似たものどうし、同類である。ラカンはこの場合の他者を「小文字の他者」(l'autre)と呼んで、大文字の他者から区別する。小文字の他者の起源はラカンが「鏡像段階」と呼ぶ発達期に求められる。赤ちゃんは喃語を発するようになる一歳前後になると、鏡に映る自分がわかるらしい。動物にはそれがわからないが、人間の子どもは、あれは自分だとわかる。Xが姿をまとうのである。ちょうどその鏡像の位置は、小文字の他者としてのあれこれの同類が現われる位置でもある。「あなた」と「私」が互いにメッセージを伝達し合っている。そうわれわれは信じるとき、実はわれわれは互いに似たものどうしとして鏡像の位置に置き合っているのである。しかしラカンによれば、言語はそういう伝達手段にとどまるものではない。動物はいちいち考えなくてもメッセージを伝達しあえるが、人間は言葉に取り憑かれて生きる。その証拠に、会話の中の何気ない言葉でも、ときに過剰な意味をはらむシニフィアン(意味するもの)という正体を現すことがある。そのときシニフィアンはあの問題的なXを呼び起こし、次々と別なシニフィアンへと逃れさせる。

「主体」はそんなふうに、大文字の他者と遭遇して以来ずっとシニフィアンの連鎖の下を消え去りながら走り続けている。このような逃がれゆく存在の条件、それが大文字の他者である。

1

現実指標としての〈私〉

——永井均『私・今・そして神』を中心に——

上野修

問題の所在

永井均の独在論は知られているとおりのものです。私がこの人間であることに必然性はない。ある日奇跡が起こってこの人間から私が抜き去られたとする。それでも、そいつは記憶も思考もそのままであり続け、誰もこの変化に気づかないだろう。また、ある日奇跡が起こってブッシュ大統領が私になっているとする。それでも私になったブッシュ大統領はそのことに気づかず、依然好戦的であるだろう。いずれにせよ、そのような変化はこの世界への〈私〉の着脱によって考えることができる。そういう〈私〉は、たくさんいる人間たちの一事例ではない。それはどのような想定のもとでも私だけがそれであるところの、唯一無比の私、独在的な〈私〉である。――こうした永井の独在論はよく、独在的な〈私〉と他人たちの「私」とのあいだの差異というトピックのもとで議論されてきました。しかし私は、それは派生的な問題で、本質的な問題は別にあると思います。それは、現実とは何か、という問題です。

これから取り上げる永井均の著書、『私・今・そして神』(講談社現代新書、二〇〇四年)は、まさにこの問題のまわりをめぐっています。いま言った〈私〉の着脱の奇蹟を、この著作は「開闢」というタームで捉え直そうとしている。そこに、永井の他の著作にない特色があります。「開闢」。読むのも書くのも難しい言葉です。天地のひらけはじめ、世界の始まりの時、という意味ですね。この著作では、現実世界が、私がたまたまそれであるところの人間を開闢として開かれる、というような表現で使われます。
このタームの導入によって、本著は現実という概念が隠し持っている二つの側面を明らかにするのに成功していると思います。それはこういうことです。世界は私を開闢として開かれ、それ以外に現実世界はない。だがそこから世界が開かれる特異点は、なにも「この人間」である必然性はありません。私はたとえばブッシュ大統領でもよかった。現実はブッシュが私であるような世界でもよかったのです。そういう意味で、現実がこんなふうになっているのは偶然です。たまたま私は「この人間」なのです。したがって、現実にはこうした偶然という側面がある。ところが一方で、いったん世界が開闢されてしまえば、「この人間」が私でないような現実世界はもはやどこにもないというのも本当です。もしブッシュ大統領だったら、などというのは空想にすぎず、私はこいつ、「この人間」でしかない。それが動かぬ現実で、奇蹟でも起こらぬかぎり途中変更は不可能である（永井はこれを〈私〉の持続問題と考えているようです）。すると、先は、現実は偶然だと言いましたが、今度はある種の必然性を帯びているとも言える。「現実」というものはこんなふうに、偶然でもあり、必然でもある。別様でありうるようにも思えるし、別なふうではありえないようにも見える。大変興味深いこうした二面性を「現実」はもっています。そして、永井によれば、この二面性ないし二重性こそがこの著作の中心問題なのです。

「開闢それ自体が、その内部で後から生じた存在と持続の基準に取り込まれる。そのことによって、われわれの現実が誕生する。だから、現実は最初から作り物であって、まあ最初から嘘みたいなものなのだが、しかし、それこそがわれわれの唯一の現実なのだから、それを認めてやっていかなければならない。この構造こそが、本書全体を通じて私が問題にしたいことの根源である」(p.43)

何度でも驚くべきことだと思いますが、現実は一つしかない。唯一である。この唯一性は〈私〉の唯一性と分ちがたく結びついています。でもそれだけなら、独我論(あるいはそれを突き詰めると出てくる無主体論)とそう変わらない。永井の独在論がそれと違うのは、彼が「現実」のもつ二重性に問題の根源を見ているからです。

「開闢」というタームはさらに、永井がこれまで特に主題化してこなかった問題を引き寄せます。それは「開闢の神」という問題です。永井は、独在論が理解できてしまう以上、われわれは結局そういう神を信じていることになるのだと言います。しかし正確なところ、この「神」とは何なのでしょうか。

もちろん宗教的な話ではないでしょう。私はこの「開闢の神」に少しこだわって、永井とは別の観点から解釈を試みたいと思います。私が念頭に置いているのは、フランスの精神分析の理論家ジャック・ラカンの言う「大文字の他者」です。

ラカンによれば、赤ちゃんは言語と出会うことではじめて「私」と自分を指せる存在になる。動物は普通、自分のことを「私」というふうに指すことはしません。ところが人間は、これはもう間違えようがなく自分を指す。ラカンは、そういう特異な存在は言語との遭遇によって創設されねばならないと考えます。最初に赤ちゃんに呼びかけてくる言語の存在、それが、ここで言うラカンの「大文字の他者」です。現実の二面性ないし二重性を考えるにつけ、私には、永井の「開闢」がラカンの言う主体の設立と無縁であるとはどうしても思えないのです。永井の「開闢の神」はラカンの「大文字の他者」かもしれない。そこのところを考えてみようというのが、この発表の趣旨です。

ところで先の引用からもうかがえることですが、どうも永井は、永井均という名の「こいつ」が特異点となって出来上がっている現実は言語の見せる夢のようなもので最初から嘘みたいなものだが、それに対して独在的な〈私〉のほうはリアルである、と考えているふしがあります。[1] たまたま永井均という人間であることは夢のようなものだが、私が〈私〉であることは夢ではありえない、リアルである。そうであればいいのですが。しかし、永井がリアルだと言う独在的な〈私〉が、実はそれもまた、「われわれの言語の夢」でないとどうして言えるでしょうか。私の気がかりはここにあります。

現実指標

まず「開闢としての私」について考えます。永井の議論は思いのほかデカルト的です。ご存知のように、デカルトは絶対に確実なものを求めてすべてを疑ってみました。世界は実は嘘か夢のようなものので、こんな顔や手を持ったデカルトという人物が炉端の前で座っている世界は本当は存在していないのかもしれない。そう想定することは可能である。しかし、そうでありうるなら、ひょっとすると本当にそうなっているかもしれない。デカルトの普遍的懐疑というやつですね。しかしたとえそうであっても、そのように疑っている「この私」は依然、私であり、そうでなくなるわけではない。「私はある、私は存在する」とデカルトは結論します。その「私」は、もはや人間ではありません。よく、デカルトは身体から実在的に区別された精神を発見したなどと言われますが、彼が行き当たったのは、実はもっと得体の知れないものでした。それは、ひと言でいえば、現実でないことが唯一不可能な何か、です。それが「私」という語でしか指せないものであることをデカルトは発見したのです。つまり、本当の世界がどんな世界であろうと、私がいるところ、そこが唯一の現実である。これがコギトの意味でした。永井も同じように言います。「どの世界が現実であるかはそこに私が（しかも今）存在するか否かで決まる」（p.107）。だから、もし神が現実世界を創造するなら、「どれが私であるかを含み込んだ世界をつくる神」でなければならない、と（pp.65-66）。

こうして見ると、「私」という語が意味しているのは、何かが現実であることの指標のようなものだということがわかります。およそ想定可能な諸々の可能世界の上を動きながら、どの世界が現実世界であるかを唯一的に指定する指標のようなもの、それが「私」です。「何が見えていようと見ているのはつねに私だ」というウィトゲンシュタインの表現は、「何が起ころうとそれが起こるのはつねに現実世界だ」という言明との類比で理解されねばならない（p.95）。そのように永井が言うとき、問題になっているのはまさに、唯一的な現実指標としての「私」にほかなりません。だから、その「私」という特異点抜きに、神が現実世界を開闢することは不可能である。これは非常に強い不可能性です。全能の神にも、それはできないのですから。だからこそ、〈私〉が唯一であることと〈現実〉が唯一であることとは同じことになる。

しかし以上は話の半分です。そんなふうに、いったん私を開闢として世界が開かれると、開闢はまさにそのことによって、開かれたその世界の内部に、その世界の客観的な構造に従って位置づけられるようになる。もはや私は「こいつ」でしかないし、「こいつ」は、同じように自分のことを「私」と言う人間たちの一人にすぎません。「端的な私が世界に登場したとき、同時に端的でない私も世界に登場せざるをえない」(pp.148-149)と永井が言うのはこのことです。独在的な〈私〉は、他人と並ぶ一人の人間に頽落し、隠蔽される。そこでは、「私」は発話者一般を指す人称にすぎません。独在的な〈私〉は、こいつ、すなわち発話するこの肉体に結びつけられ、一個の持続的対象の上に固定されるわけです。

するとこういうことになるでしょう。「私」という語は、開闢の唯一的な指標であると同時に、発話者一般を指す指標詞でもある。言い換えると、「私」という語を有意味に用いることのできる存在は何ものであれ、永井の言うような「端的な私」と「端的でない私」との断絶構造に組み込まれ、その断絶自体を各自的に理解してしまう。いや、「各自的に」という言い方自体が、すでに開闢の隠蔽になっていますね。しかし隠蔽は避けられません。永井の言うとおりです。引用すれば、「この言語(いま私がただそれだけを理解する言語)の、この有意味性それ自体が開闢なのだが、それはその言語の内部にはあらわれることがない」。まさに、「言語は開闢を隠蔽する。逆に言えば、世界を開く」(pp.221-222)のです。世界を開き、かつこの開闢を隠蔽するのは言語だ、と言われているのに注目しておきましょう。唯一無比の〈私〉と他人たちの「私」の違いは派生的な問題だと先に述べたのは、このことでした。本質的なのはむしろ、言語による世界開闢と、それに伴う私の分裂です。私は「端的な私」と「端的でない私」に不可避的に分裂する。それは「私を開闢とする世界」が言語によって開かれることとの不可避のエフェクトであって、他人たちの「私」はこの点に関する限りどうでもよいのです。

主体の開設

永井は開闢を、自身への直接的な現れ、つまりデカルトの定義するような「意識」のようなものとして考えていると思われます。「何が見えていようと見ているのはつねに私だ」(p.95)、そのことは動かない、というふうに。しかし、何かが見えているという意識は、それだけでは「私」を含意しないのではないでしょうか。端的に見えている、見えているということだけがある、そうも言える。だとすると、意識している何かが「私」なるものへと同一化するステップ、これがやはり必要に思えます。そして、おそらくそいつが自己同一化するのは、先に述べた唯一的な現実指標ではないか。そういうことを考えていたのはラカンでした。

世界を開いたのは、私ではありません。気がつくと、唯一この私だけが開闢となっている。そのような奇蹟を考えるために、「開闢の神」がどうしても必要です。その「神」が、なぜかこの私をもって世界の開闢とする。この場面をラカン風に、生まれ落ちた子どもがはじめて言語と遭遇する場面として考えてみます。私たちはいまあれこれ考えていますが、そんなふうに考える存在になる前に、最初のところで言語との遭遇があったと想定するのです。思考は言語なしにはありえず、言語は他者から習得されねばならなかったということを事実として認めるなら、そう考えるほかありません。ラカンは難しい、何を言っているのかわからないとよく揶揄されますが、彼はまさにそういう最初の遭遇の場面を再構成しようとしているのだと見れば、そう変な話でないことがわかります。

それは私流に解釈するとこんなふうです。お母さんは赤ちゃんがまだ言葉がわからないうちからいろいろ話しかけますね。赤ちゃんが最初に、向こうから呼びかけてくる音声が有意味な言語であると気づくためには、とにかく何かわからないがその声が本当のことを言っていると思わなければならない。音声はまなざしとともに子どもをターゲットにしてやって来るので、その声が本当のことを言っていることになる条件、真理条件に、子どもは自分を当てはめるであろう。いや、正確に言えば、そこに「ここ」というものを発見するであろう。みなさんはデイヴィドソンの根元的解釈の理論を考えてくだされぱよいのです。「雪が降っている」という発話の意味がわかる人は、どういう場合に限ってその発話が真になるか、つまり、その真理条件を知っています。すなわち雪が降っている場合です。逆に言うと、どんな場合に発話が真となるかがわかれば、その人は発話の意味がわかっていることになります。宇宙人が現われて「アガワッチャ」という言葉らしきものを発する。そいつが言おうとしていることは、そいつが何を真とみなしてそう言っているかが状況から見当がつけば、ほぼ見当がつく。これがデイヴィドソンの「根元的解釈」のアイデアです。同じように、向こうから声がやって来る。赤ちゃんははじめは音しか聞いていませんが、あるとき、何か言っている！　と気づく。「大文字の他者」との遭遇です。ただ、子どもにはまだ言語がないので、その声が本当のことを言っていることになるその本当のことを言葉で埋めることはできません。ではどうするでしょうか。子どもは声がターゲットにしているまさにその何かを、そっくりその「本当のこと」として差し出すでしょう。声の言うことはXのゆえに真である。このXを子どもは身をもって埋めるのです。ラカンはこのことを、最初のシニフィアン（意味するもの）へと自己同一化するところに主体が生じる、というふうに言います。子どもはある時期に爆発的に言語学習を始めますが、それはこのように同一化したXをめぐる、事後の果てしない（しかし手遅れでもある）探究への出発だと考えられます。「私の言語の限界が、私の世界の限界を意味する」[2]というウィトゲンシュタインの言葉をここで思い出しておくのは無駄ではありません。子どもが同一化したのは、いわば言語のあらゆる意味の意味としての最初の真理条件であって、そのことによって、世界は意味を持つ「私の現実」となるのです。以上がラカン理論の基本的なアイデアです。[3]

このように見れば、特別な指標詞「私」は、子どもが原初に自己同一化した他者の言（パロール）の真理条件にあとから振り当てられた名前である、と考えることができます。それは現実を固定的に指示する。何であろうと他者がまさに言っているとおりになっているのが「私」であり、「私」の現実である。そして、「私」は同時に、先取りされた発話者当人としての子どもを指す。他者から呼びかけられた子どもは、その他者に答えるべき一人称に釘付けられて存在し始めるからです。（子どもはやがて、母親は自分（子ども）が言っているはずのことを代理して言いながら、自分にも言わせようとしている、ということに気づき、自分から話すようになるのですが、この話は省略します。）

こうして「開闢」は、小さな生き物が「私」という語の可能的使用者として存在し始めること、つまり言語の主体が開設されることとして考えることができます。そう考えれば、永井の言うように、私は私の理解する言語の外にけっして出られず、私から開けた世界だけが唯一の現実世界であるのは当然です。世界は私を開闢として、他者の言の最初の、そして唯一の真理とともに開設されたのですから。また、私が「こいつ」である必然性がないのもまた当然です。子どもはお母さんによって唯一の真理として選び出されたと信じますが、そのお母さんだって同じように他者の言の真理として話す主体となった。すべての主体をその主体ごとに開闢とする言語のほうは、特定のだれかを選ぶ必然性を持たないのです。さらに、永井がなぜ「開闢の神」を信じなければならないかもわかります。自分ではない他なるもの、ラカンの言う「大文字の他者」の言によってでなければ、だれも世界の開闢となり思考をもつようになることはできなかったからです。これらはすべて、言語を解する存在一般の運命なのです。

とてもラカン風に

永井は、こういう説明自体が開闢の隠蔽になっていると言うでしょう。そのとおりです。いま私が述べたのは主体の開設一般であって、永井の言葉を借りれば、開闢によって開かれた世界の中に開闢を位置づける、ということをやっているからです。永井は言うでしょう。私はそれを拒否する。説明が間違っているからではない。まさにそれが説明だからこそ拒否するのだ、と。私はこの拒絶、この否認は正当なものだと思います。どうして正当でないことがありえましょう。けれども、この否認がそれ自体、いまのように説明された主体の設立の構造から必然的に出てくるものであることにかわりはありません。それがまさに、開闢は言語の内部にはあらわれることがない、ということだからです(ちなみにラカンはこのことをしも「原抑圧」と呼んでいました)[4]。開闢が言語によるかぎり、開闢をめぐる永井の言説は図らずも読者に通じてしまう。それが言語の言っていることがわかるということであり、永井自身が自分の話していることがわかるのもまったくそれと同じことだからです。まったく同じことだ、と私は言います。なぜなら、「大文字の他者」によって開設された主体は、最初から他者の言を解釈するのと同じ仕方でしか自分の言っていることを理解することはできなかったのですから。デイヴィドソンの印象深いフレーズを引くなら、「他者による発話の解釈者でない限り、生き物は思考を持ちえない」[5]。それが言語がわかってしまう存在の定めなのです。ついでに言うと、私はいわゆる「私的言語の不可能性」の本当の意味はここにあると思います。この不可能性は永井が言うように、私的言語が可能でなければならないということと、いわば断絶を挟んで不可分となっている(pp.222-223)。それはそうで、最初の声が本当のことを言っていることになるその唯一の真理条件に同一化することで主体は開設される以上、どの主体も自分を比類なき〈私〉と信じざるを得ない。さもなければ主体は消え去り、同時に言語も現実も消滅してしまう。したがって、言語は私だけが理解できる私的言語でなければなりません。にもかかわらず、それはまた他者の言語としてしか開始できません。われわれが言語の意味を理解できるようになったのは、大文字の他者の言うことの解釈を通じてだったからです。

こうしてわれわれは、永井がこの著作の末尾で問いかけている問いに答えることができます。その問いはこうでした。

「さて、あなたはこのような言説を理解しただろうか。もし「私は理解した」と思ったとすれば、その「私」とはだれか？」（p.222）

答えはこうです。その「私」とは、「開闢の神」としての大文字の他者の言うすべてがそれによって真とならねばならないところの何か――だれでもない何かである。それは、それが真であると前提されるがゆえに世界が意味を持つようになるような、言語の存在条件そのものであって、だれでもかまわない。だから開闢としての言語から見れば、だれが最初の真理条件に同一化するのかはどうでもよいのです。もしそうだとすれば、われわれは永井の言い方をひっくり返して、むしろこう言うべきではないでしょうか。すなわち、独在的な〈私〉が「この私」（この人物ではありません）であることこそがまったくの偶然である、と。いやそうであってはならない、と永井は言うかもしれません。しかしその拒絶こそが、すでに「われわれの言語の夢」[6]ではないでしょうか。

永井はこの著作を閉じるにあたって、「私は、本書において、この同じ世界に私と内属している読者の方々に語りかけているのではないことになる」（p.223）と記しています。ではだれに語りかけているのでしょう。とてもとてもラカン風に言うなら、原初に永井を主体として開設し、以来永井に彼自身の真実を聴き取らせ・言わせようとしている「大文字の他者」に、永井はこのような言説を聞かせているのです。彼の大文字の他者だけが、そのとおりと言ってくれるはずなのですから。そして、開設された主体はみな、例外なくそうなるのです。とすれば、永井の主張する「唯一性」（私・今・

そして神）はじつは「この私」がその実質を構成する唯一性ではなく、中身のない形相的な唯一性ではないだろうか。このことは、今しがた入不二の言っていた「無内包」とどこか関係しているように思います。

1　このことは、永井の『なぜ意識は実在しないのか』（岩波書店、二〇〇七年）の次の箇所からもうかがえる。「すべてを疑っても疑っているこの私が存在することは疑えない、という真理に彼［＝デカルト］が到達したその瞬間、その真理は、一般にすべてを疑っても疑っているその私が存在することは疑えない、という真理に転化しました。それは、じつはもっぱら言語の働きによるもので、言語の見せる夢にすぎないのですが、われわれは言語の見せる夢の世界に生きているのですから、その夢から「覚める」ことはできません」（p.84）。

2　ウィトゲンシュタイン『論理哲学論考』5.6.

3　このあたりの議論については、上野修「言語習得における原抑圧と真理——デイヴィドソン、ラカン」、『山口大学哲学研究』No.8, pp.1-20, 1999. 10を参照されたい。ジャック・ラカン『エクリ』（特に「フロイト的無意識における主体の転覆と欲望の弁証法」・「科学と真理」の二論文）をドナルド・デイヴィドソン『真理と解釈』に接続する試みである。

4　Cf. Jacques Lacan, *Écrits*, les Éditions du Seuil, 1966, pp.867-868.

5　Donald Davidson, "Thought and Talk", *Inquiries into Truth and Interpretation*, chap. 11, Clarendon

Press, Oxford, 1984, p.157.

6 ウィトゲンシュタイン『哲学的探究』358.

2

永井均との討論

永井　最後におっしゃった、入不二さんの無内包との関係はどうなりますか？　どういうふうに関係しているのか？

上野　どういうふうに関係しているか、ですね。ラカンの言っていることが本当だとすると、子どもっていうのはまずその意味内容、つまり何が何だっていう具体的な実質をもった意味内容を学習する以前に、とにかく何か言われていることがある、それは自分だ、というかたちで自己同一化するわけですよね。そうするとそれはもう無内包です。まさに。無内包なもの、無内包な真理って言うのか、そういうものに子どもは自己同一化する。そこで引っかかってくる問題かなあと……。

入不二　「形相的」っていう言い方がアリストテレス的で難しい感じがするので、「形式」って言ってもいいですか？

上野　原語は同じですけどね。「形式的」で……。

入不二　だとすると、要するにわけですけど、先ほどの私の話の中で、「実質」と「形式」ということを言えば、「形式」は「概念」と「言語」の方で、「実質」が第〇次内包やマイナス内包で出てくるような、クオリアに相当するような実質ということになると思うんですね。で、そうすると、無内包っていうのは、そういう実質ではもちろんないし、かといって言語（形式）じゃないですよ。だから、実質的な唯一性ではないってところまではその通りと思うんですけど、無内包っていうのが形相的な唯一性ということと重なるかどうかというと、違うのではないかと思います。で、たぶんそれとつながっているのが、上野さんが無内包ということを言おうとしたときに、「他者がまさに言っているとおりになっている」（本書一〇六頁）っていう、真理条件だけど中身が無くて、っていうところがたぶん、無内包＝中身がないということとつながりをつけたところだと思うんです。でも、もちろんその場合の無内包っていうのは、内容はないけど真理条件ではあるんですよね。で、真だってこととつながっているわけですね。だけど先ほど私が言った無内包というのは、そういう真理条件とは違う、ということです。真理の無内容性ではなく、現実の無内包性です。端的に言って、真・偽の水準に関わるのではなく、現実性・存在性に関わるのが、「無内包」です。

永井　入不二さんは「現実」というのを二つに分けてたじゃないですか。で、上野さんの「現実」っていうのは内容のある、入不二さんの言い方だと認識論的の方の、現実なんですね。だから、実際に世界がどうなってるかということを教えてくれるんですね。最初の他者が。実際、お母さんと子どもで考えたって、いろんなことを教えてくれるはずです。そのとき、お母さんが言っていることは全て真理なんですね。単純に言うと、例えば、「これは黒いね」とか、そんなことは言わないか（笑）。まあ、「雨が降ってきたね」とか、「鳥が飛んでるね」とかね。そういうことを言うと、それは全部、「雨」とか「降る」とか、そういう言葉の意味もわかっていない段階で、そういうことを言って、それが真理であるってことを前提にして、言葉の意味と世界のあり方を一緒に学びます。で、それはですね、上野さんの真似をして、ラカンをデイヴィドソンに置き換えて考えてみると、逆襲というのに当たるのは、これで言うと、子どもが言わば反論できる段階になると逆襲が起きるわけですね。反論というのは変ですけど、要するに、真理を前提にして意味を学んだわけですけど、意味を学んだ後になるとそれを前提にして、「いや、飛んでいるのは鳥じゃないよ」というふうに、子どもが真理に関して違うことが言えるようになる。というように、言語の主体として自立してくるわけです。「あれは雪だよ。雨じゃなくて」とかね。そういうことが言えるようになったときに、「雨」も「雪」も全部お母さんから学んだとしても、その組み合わせを自分の中で変えてですね。真理を前提にして言語の意味を学んだにもかかわらず、今度はその言語の意味を使って、相手との真理に関する戦いに参加できるようになるんですね。

そのときに、この話と関係づけると、今のような議論というのはあれですよね、どう言ったらいいですかね。客観的世界に関しては全部そのやり方でいけると思うんですね。つまり世界っていうのは客観的にあって、それに関して、「鳥が飛んでいる」とか「この鞄は黒い」とか、そういうふうに子どもは学んでいけるわけですけど、人称や時制や様相に関しては、そうじゃないですよね。つまり、真理から言語的意味へ、という道筋がそう簡単にはつかないようにできていると思います。日本語はちょっと曖昧なんですけど、例えば西洋語だと、英語なら英語で言うと、相手は必ず「you」と呼びかけるんですね。「you」は「you」ですね。「あなた」。その「you」と呼びかけられた者は、しかし、それが「I」であると学ばなければならない。例えば英米人のお母さんは自分のことを「I」って言いますよね。で、「you」と呼びかけますね。そしたら「I」と「you」っていうのは、こっちが言う時には逆転するわけですが、逆転は今のやり方では学べない。ラカン的にではなくデイヴィドソン的に学べない。そういう真理条件からは学ぶことができなくて、逆転させるときには、「私」と言っている者が、実はこっちが私であって向こうがあなたであるという、そういうことを学ばなければならないですね。で、これはどうやってできるのか、と。心理学的にというよりは、論理的にどうして可能なのか、というのは、結構わからないんじゃないですか？いや、少なくとも私はよくわからないんです。事実上学べるということについては発達心理学的な議論があるとは思いますけど、そうじゃなくて、論理的になぜその転換が可能なのかというのは、相当高度な問題なのではないかと思います。

で、そのこととさっき言ったことが一体化していて、「私」っていうふうに向こうで言ったやつが全部真理だったのが、今度は逆転して、こっちの「私」が全部真理になっちゃうんですね。現に「鳥」ではなく「飛行機」が見えていたら、「鳥じゃなくて飛行機だよ」と言うべきなのであって、真理主張をこっちが行なうべき者となる。その転換ができなければならないんですよ。転換をどこから学ぶかというと、転換それ自体を向こうをモデルにして学ぶんですね。親とか何かが言ってることから、勝手に学ぶんですね。向こうが「私」なんだから、本当はこっちこそが「私」なんだっていうことを。そんなことは決して教えられないはずなんだけど、しかし言語は必ずそれを教えるわけです。

デカルトの話が出たからついでに言うと、デカルトは神様と対抗しますよね。あれも似た話じゃないかと思うのは、神というのは存在するものじゃないですか。「誰だ？」って聞かれたときに「在りて在るもの」と訳されている「存在するものだ」って答えたじゃないですか。神こそが存在なんですね。こっちは言わば模造品というか、真似て作られたものにすぎないけど、向こうは、神様は存在する。で、それに対して、デカルトが逆襲が可能だとすると、いやいやいや、本当に第一に存在するのはこっちだ、と。私が存在していて、神はあの場合「欺く神」だけど、欺く神というのは私の観念の中にしかないぞ、ってかたちで、逆襲をすることができるようになるんです。なんで逆襲できるのかっていうと、言わば神の絶対的な語りをそのまま自分の方に反転させてそれを引き受けることができるからですよね。

それはどうやって学ぶのかっていうと、いわゆる真理条件から学ぶやり方だと学べないんですよね。真理は必ず客観的真理ですから。人称というのは……もちろん時制もそうで、様相はもっとそうかもしれませんが……どうやって学んで、そこから、それこそ「私こそが存在するものである」というある種の絶対的真理、神の独我論みたいなものを逆転させて、こっちの独我論として習得するプロセスが必要なんだけど、その逆転自体はどこから学んだかっていうのは、やっぱり根本的には謎だと思います。謎なんだけど、それが必ずなされる。それがなされないと、基本的には言語は習得できないんじゃないでしょうか。自分の側に主張すべき真理があるってことをいわば自明の前提とみなすようにならないと、言語を語れるようにならないんじゃないでしょうか。全部受け入れてるだけじゃなくて、それを逆転して、いやいやそうじゃなくてこうだ、っていうふうに言わなければならないんだけど、そのことを「言う」ということがそもそもどうしてできるようになるかっていうのは、言語の側だけで考えていてもわからない。僕には謎に感じられるところです。ラカンだとわかりますか？　その逆転はどこから出てくるのか。

上野　逆転はどこから出てくるか……。出てくるっていうぐあいに考えてないですね。これはもちろん経験的な話になりますけど、他者、お母さんは、子どもが言っているはずのことを、代理して言っているんですよね。大体そういうかたちでまずは呼びかける。「『眠たい』の？」、「『眠たい』って言いたいんだね？」ってかたちで。そんなふうに初めから、これはお前の言っていることになってることだよ、っていうかたちで、真なることを言っていることになっている。つまり、言語がわかるようになる最初のところでは、他者が言っている何かが私の言おうとしていることである、というふうに始まっている。ラカンはそれを、主体の欲望は他者の欲望であるというふうに言っていますね。

永井 でも、それだとあれですよね。反転できないですよね。逆襲して、こっちが主導権を握るっていうかたちで、向こうに対して反論する、……「あなたが言っていることは間違っている」と、いつか言わなければならないですよね。「あなたが言っていることは間違っていて、飛んでるのは鳥じゃない」と。そういうことが言えるようになるということと、こっちが本当の私であるということは、一体化していると思うんだけど、反論できるためには、象徴的に言えば、デカルト的に神様を否定して、神よりも私の存在の方が確実で、真に存在するのは私なんだ、ということまで言えるほどの強い自立性の成立が必要だと思います。どこにその芽生えというか、その源泉があったのかは、どうでしょう?

上野 それは今日省略したところの話になりますけど、結局、子どもが同一化するそんな全ての意味の意味なんていうのは原理的に語りえないわけで、ラカンは、大文字の他者ってやつは初めに真理があるって言っておきながらそれを裏切るんだっていうふうに考えるわけですね。ラカンはこれを、言語の構造として考えるのですけれども。だから、子どもの方から見ると、他者の約束が全然果たされないということが事後的に判明してくる。初めの真理はどうなったんだ、と。で、そこから他者に対する問い返し、「お前言えよ」っていう、「お前が言わないなら俺が言おうか」っていう反転、まあ逆襲かな、そういう可能性が出てくるとラカンは考えてる。これはさっき最初に子どもが自己同一化した真理というけど、そんなのは無内容だ、ということと関連しているわけです。確かに、その最初のそういう固定点に支えられながらいろんな意味を学習していきますよね。「これは白い」とかね。現実世界との照合ということでは、それだけの話なんだけど、その最初のところはどうなっているのか。今の話と続けると、最初のその固定点の出現というのがやっぱり大事で。現実世界のどこがどうなっているではなくて、これが現実だ、っていうね、唯一の現実を固定的に指すような何かとして、私がそれなんだ、というかたちで同一化がまずある……。

永井　その「私」というのは、どっちの「私」ですか？　親とか他者の方の……？

上野　主体の方の……。

永井　でも、それは……、こっちが現実だっていうことを、他者の方が……、あなたのいる世界が現実世界だ、と言ってくれる？

上野　そう、あなたのいる世界が現実だ、と言ってくれる。

永井　なんでそんなに親切なの？（笑）相手に独我論を教えているようなものですよね？

上野　それは、こんなことを言うと循環になってしまうけど、言語っていうのは、まずは他からやってくる。そうすると、その意味をどうやって我々は想定できたのか。つまり、本当のことを言ってるはずだっていう、デイヴィドソン的に言うと意味に対する真理の優位があって、それがなければ言語を学ぶことも始まらない。言語との遭遇の最初のところはそこで考えるしかないだろう……。

永井　うーん……。いや……、なんかよくわかんないな……。わかる人いますか？（笑）わかるっていうか、ここから発展させられる人はいませんか？　いない……？（笑）

入不二　発展ではないんですけど、無内包とのつながりのところで、もう一度こだわっておきたいんです。先ほどの「無内容な真理条件」が出てくるところでの「現実」っていうのは、先ほども言ったように、「現実がどうであるか」っていう、私の言葉で言うと、「認識論的な現実」であって、そういう現実と絡むかたちで、言葉は学ばざるをえないですよね？　で、そういうかたちで……、現実の中身はあるんだけども、その実質的な中身は問われずに、あるいは問われる以前に、形式的に真理が確保されるわけです。それが真理条件であって、それは認識論的な無内容性だと思います。で、その意味以前の真理という段階での無内容性と、私の言う「無内包の現実性」は違う。無内容な真理条件によってようやく身につける言語が、たとえどんなものであろうとも、とにかく「現に」あるじゃないかという「現実」っていうのは、認識論的な無内容性のことではないわけです。もう一段階上の逆襲を経て出てくる「現実性」です。別の言い方をすれば、真理の水準や意味の水準だけではなくて、存在・現実性の水準が別にあると言いたいのです。それはちょうど最初に言った、「無内包の現実」っていうのを存在論的なところで考えているということと、同じなわけです。で、上野さんが言っている形相的な現実性っていうのは、最初に言語に出会う場面で、真理条件の実質的な中身は無いけど、それに同一化するんだという場面であって、それは確かに形相的な真理なんだろうと思うんですね。だけど、言語習得を経て、逆襲を経て出てくるところの、そういう言語が「現に」存在していますよねっていう、その「現に」っていう現実性は、形相的ではないんじゃないでしょうか？　もちろん実質・内容でもない。だから実質と形相という二つだけでは不十分なんだと思うんですよ。

上野　言語との遭遇によって最初に主体が開設されるときの、一種のゼロ内包みたいなやつですよね。これは最初にあるだけじゃなくて、結局それは一体どういうことだったのかっていうのはずっと消えないままそのあと言語活動によってずっと指し示される謎になってしまう……。そういう仕方でまさに言語内で隠喩的に反復されるわけですよね。で、それが「われわれの言語の夢」っていうかな。「私」という夢だと思うんですけども。入不二さんのさっきのその議論ですが、一種の循環があるわけですね？　形式が循環する。じゃ、一体何がくるくる循環させてるのかって思っちゃうわけですよね。で、それは、今みたいに考えれば、原初に自己同一化しちゃった何か……、それはだから意味論的って言っていいのか存在論的って言っていいのかわからないものなんですけれど、まあ現実指標とでも言うべき何かじゃないだろうか。それが私の言いたかったことです。

永井 上野さんの「現実」は、入不二さんのような存在論的な現実みたいなものに変えてしまうのはまずいですか？ もっと中身がないとまずい？ 中身というか、事実この世界で成り立ってる真理との関係を保持しないとまずい話？

上野 真理との関係を保持しないといけないですよね……。だけどそれが我々がふつう言っている、現にこうなってるよっていう実質的な真理っていうのとは別……。

永井 じゃ、どういう真理？

上野 どう言ったらいいのかな。例えば、真理を定義しようと思っても、実質的定義ってなかなか難しい……。

永井 はいはい。

上野 で、結局、「雪は白い」っていう文は、雪が白い場合に真となる、その場合に限り真となる、みたいな一種のT文のかたちをした同値図式みたいなものでしか真理って何なのかということを示すことはできない。もしそうだとすれば、真理と言っても、何か実質的な真理の話じゃない。で、そこで全ての真理文みたいなやつに共通して現れるその同値図式みたいなものは、何によって支えられているか、ということを考えると、なんだかわからないが何か本当のことを言っている大文字の他者が要請される……。だから、別に、私が言った現実っていうのは、我々が知っているこの現実という意味ではなくて、まさにその、何が起ころうと、何が真であろうと、それは私を開闢とするこの世界のことだ、という意味での現実です。

永井　うん、であれば、入不二さんが言う意味での存在論的な現実性でもいいんじゃない？

上野　そういう意味ではいいでしょうね。

永井　うん。

入不二　「雪が白い」の例によって押さえようとすると、トートロジカルな意味合いでの無内容性になってしまいますよね？　原初的な真理というものを、定義はできないにしても、トートロジカルなかたちで、同語反復的に繰り返すかたちの無内容性によって、押さえようとしているわけですよね？

上野　そうですね。

入不二　それとやはり無内包とは違うんじゃないかと、思いますけど。

上野　どう違ってますかね。

入不二　う〜ん、難しいですね。ただ単に形式的に無内容なのではなくて、「白い」であるにしろ「赤い」であるにしろ、それが「現に現実であること」に対しては働いてない（効いてない）っていうことを言えないと、「無内包」にはならない。働いてない（効いてない）っていうことをどういうふうに言えばいいかが難しい。それはトートロジーだってことでは言えてないような気がする。たしかに、無内包の現実は、形式的なトートロジーに似てはいても、形式的なトートロジーであるだけでは、現実の現実性にはならない。意味論的な内部における「現実」までは、形式的なトートロジーで届いたとしても、その外の存在論的な現実性にまでは届かない。

上野　トートロジーみたいなのが示してると言った方がいいかもな……。まあ要するに、全ての意味の意味ってのは、言えないから、無意味なわけですよね。この無意味を無内包というかたちで考えられないかなあと……。

▶ 第Ⅲ部

青山拓央セクション

「様相」

様相とは一般に物事のあり方のことを意味するが、哲学的文脈ではしばしば、その可能性としてのあり方を意味する。その種の様相的表現には「必然」「可能」「不可能」などがある。様相的表現は日常言語にとっても欠かせないものだが、可能世界意味論ではそれをとくに可能世界の量として理解する。この現実世界を含めた、あらゆる可能的な世界を考えてみよう。そうした可能世界のうち、すべてで成立している事柄は必然である。一つ以上で成立している事柄は可能であり、すべてで成立していない事柄は不可能である。様相的表現としては他に「偶然」「現実」「非現実」が挙げられる。

「指標」

本書では、自己反射的な指標詞を意図して「指標」という表現が使われている。指標詞とはその語の使用状況によって指示対象を変える語であり、とくに「私」「今」「ここ」は、その語の使用された基点（人物・時点・場所）を自己反射的に指示する。デイヴィド・ルイスが主唱者である様相実在論（可能世界意味論の可能主義）では「現実」もまた一種の指標詞だとされるが、その理由は、すべての可能世界が実在するという考えにある。すべての人物がその人物から見れば「私」であるように、すべての可能世界はその世界から見れば「現実」であり、「現実」とはその語が使用された世界を指す指標詞となる。

1

様相と指標の累進

——永井均著『なぜ意識は実在しないのか』検討——

青山拓央

以下の文章は、シンポジウム「〈私〉とは何か」での私の発表を書き起こし、加筆したものである。入不二氏・上野氏の提題論文と異なり、講演録のかたちを採っている理由をまず述べておこう。

私はシンポジウム当日、その場での議論を生かすため、まとまった原稿を用意せずに発表を行なった。そのことにより、入不二氏・上野氏の発表内容だけでなく、その後の質疑応答からも多くの論点を自由に借りることができた。それゆえ本稿は、発表前に用意された提題論文のかたちではなく、入不二氏・上野氏の質疑応答の後に読むべきものとして、このようなかたちを採ることが望ましい。こうした提題「論文」を載せられることは、本書のような、実際の議論をもとに書かれた共著ならではの良さだろう。

なお私は発表の際、永井氏への五つの質問を記した簡潔なメモを配布した。そこでは永井氏の近刊である『なぜ意識は実在しないのか』(岩波書店、二〇〇七年。以下『意識』と略記)が検討されている。その内容を次節に掲載するが、初めて本稿を読む方は読み飛ばして頂いてかまわない。というのも、どれも切り詰めた文章で書かれているため、それだけでは理解が困難だからだ。本稿の発表部分では、これらの質問を一つずつ再掲し、じっくり論じていくことにする。

永井氏への五つの質問

質問①　実在性への直観において、デイヴィド・ルイスは様相を指標化した。可能世界はすべて実在し、どの世界も(この現実世界も)その世界から見れば現実だとされる。反対に、指標を様相化するなら、それは一種の独我論に近づく。この私やこの今は、いわば現実の私であり現実の今であり、特別な実在性をもつことになる。『意識』では様相と指標の並行性が示され、両者がともに累進構造をもっていることが指摘されるが、それでは様相の指標化と指標の様相化の間にも累進が生じるのだろうか。

質問② 『意識』によれば、前言語的な〈これ〉と言語さえあれば、その力だけで他我や過去があることになりかねない。また、前言語的な〈これ〉と言語さえあれば、可能世界もあることになりかねない。無防備な言い方になるが、他の〈これ〉もまた前言語的にあるからこそ、概念内部での累進ではない真の累進が始まるのではないか（可能世界については前言語的な他の〈これ〉がないので真の累進が始まらないのではないか）。そうでないなら、言語というものにあまりにも強い力が与えられているように見える。

質問③ それとも、言語そのものではなく言語の伝達が重要なのか。言語伝達における累進によって〈これ〉は「表返される」のか。もしそうなら、他我や過去は本当にあるが可能世界は本当はない、という素朴な――しかし強力な――直観の非対称性は、言語伝達の相手の実在／不在の非対称性に由来するのかもしれない。別の問い方をすればこうである。他の〈これ〉の担い手の候補（他者や、過去・未来の私）は、どのような基準で選ばれるのか。言語伝達の相手になりうることが、その基準に含まれるのだろうか。

質問④　非言語的な記憶の働きによって、現在と過去は現象的につながる。『意識』はこう論じることで、「私」の持続（その感覚）を説明する。それでは、過去との現象的紐帯に類比的な、他者との現象的紐帯はありうるか。記憶で過去を見るように、他我をそれ特有の仕方で（現在の私の経験とは完全に区別されたものとして）見ることができれば、それはありうるかもしれない。このとき興味深いのは、その特有の感覚が、持続の感覚——とりわけ「時間が流れている」という感覚——とどう異なるのかである。

質問⑤　『意識』では、心身問題を他我問題の内部に取り込んでいる。心身問題は因果的閉鎖性の前提のもとで初めて意味をもつと私は思うが、本書ではこの前提をどう扱うのか。因果的閉鎖性を重視しないために、本書には心身問題が現れないのではないか。また、現象判断のパラドックスも因果的閉鎖性のもとでの意識の「言えなさ」（意識の因果的無効力）に関わるのだから、この「言えなさ」は、意識の累進的な「言えなさ」（意識の概念的無効力）とは別の問題——心身問題？——を生み出すのではないか。

質問①について

永井さんは私にとっては「永井先生」で、学生時代に哲学を学んだのですが、そのことによって永井哲学にだいぶ慣れてしまっている。たくさんのことを学んだわけですが、見えなくなっていることもあるはずです。今回はこの本『意識』を題材に、初めて永井さんの本を読んだような気分で——つまりその慣れてしまったものを忘れて——できるだけ素朴なところから問いかけていきたい。
準備した質問は五つあります。①、②、③はひとまとまりなので、そこまでを前半、④と⑤を後半としましょう。圧縮して書かれているため、分かりにくい部分について補足していきます。

質問① 実在性への直観において、デイヴィド・ルイスは様相を指標化した。可能世界はすべて実在し、どの世界も(この現実世界も)その世界から見れば現実だとされる。反対に、指標を様相化するなら、それは一種の独我論に近づく。この私やこの今は、いわば現実の私であり現実の今であり、特別な実在性をもつことになる。『意識』では様相と指標の並行性が示され、両者がともに累進構造をもっていることが指摘されるが、それでは様相の指標化と指標の様相化の間にも累進が生じるのだろうか。

「様相」と「指標」は哲学的にさまざまな意味で用いられますが、ここではもっぱら、「様相」で現実/可能の対を、「指標」で私/他者あるいは今/過去・未来の対を表すことにします(語句解説を参照)。この意味での様相と指標は、そっくりな形式をもっています。相並ぶたくさんのものがある中で一個だけ特別なものがある、という形式をもつ。たとえばこの会場にいるみなさんは全員「私」ですが——それぞれの方にとっての「私」ですが——私にとっての「私」は青山です。そして、この私は特別だと言いたくなるような感覚が、永井哲学の源泉にはある。時間についても同様で、どの時点もそこから見れば「今」ですが、この今だけは特別じゃないかと、やっぱり言いたくなる。

様相についても同じことが言えます。様相では、現実と可能というのが同じ対比になっていて、たとえばこの会場にオバマがいる世界、可能な世界としての「オバマ世界」を考えてみると、私たちにとってはそのオバマ世界ではなく、こっちの世界が現実です。でもオバマ世界の方から見れば、オバマ世界が現実であって、こっち（私たちのいる世界）は可能世界になる。様相と指標はこのように形式的によく似ています。

『意識』では、このそっくりな形式が累進構造をもつという話がされています。相並ぶものの中に特別なものがある、という構造自体が累進していくという話です。「特別なもの」といま言いましたが、『意識』では「最上段」という表現が使われています。相並ぶものの対比——私と他者の対比のような——のうち、最上段での対比がある。本当の「私」「今」「現実」はこちらだけで、そちらではない、と言いたくなる特別な対比がある。しかし、この特別さはふたたび他のものにも認められ、すべてはまた相並ぶものになる。最上段であるという性質もまた、累進的にどこまでも昇っていくわけです。

様相と指標は、この累進の構造に関してとてもよく似ている。しかし常識的な理解において、この二つは全然違うものです。というのも、実在性——何が実在するか——についての直観が、様相と指標とではまったく違うからです。ひとことで言って、他の「私」はいるが他の「現実」（可能世界）はない。オバマ世界は想像上の世界であって、本当はない。これは素朴な直観ですが、すごく強力な直観です。そして、この直観にこだわっているのが①、②、③の問いです。

デイヴィド・ルイスという哲学者がいますが、彼は様相を指標化したと言えます。ルイスは、可能世界がすべて実在するという議論を出したことで有名です。つまり、可能な世界というのは全部ある、実在する、と言っている。そして、私たちのいるこの世界も可能世界のうちの一つにすぎない。じゃあ現実って何かといえば、ルイスの考えでは「自分のいる世界」ということになります。「現実」という言葉の意味が、指標性の方に取られるんですね。こうして様相が指標化される。私はたまたまこの世界にいるので、この世界を「現実」と呼びます。みなさんも同じ世界にいますから、我々にとってはこの世界が現実です。ただ、オバマ世界の方もまったく同様に実在しますので、その世界のオバマから見れば、オバマ世界が現実です。

この考えを逆にして、指標を様相化してみましょう。現実だけが特別な実在性をもつという直観がありますが、この直観の方に指標を近づけてやる。すると、現実が特別な実在性をもつように、現実の私や現実の今は特別な実在性をもつことになります。他人も意識をもっているかもしれないけど、それはいわば可能的な意識なんですね。現実の意識は、私の〈これ〉だけです。だから、他人の痛みというのは、いわば可能的な痛みなので、本当の現実の痛みは私のこの痛みだけ、ということになります。これは一種の独我論的言説です。

こんなふうに様相と指標については、実在性への直観を、どっちをどっちに近づけるかという話ができるのですが、永井哲学ではこの、どっちをどっちに近づけるかということもまた累進するのか。つまり、この実在性への直観も、様相を指標化する方向と、指標を様相化する方向の間で反復的に累進していくのか。これが①の問いです。この問いの具体的な狙いや、それがなぜ重要な問いなのかは、②と③を見ると分かっていきます。

ここでちょっと補足しますと、「現実の私」とか「現実の今」というのは一種の永井哲学用語だと言えます。永井哲学に慣れているとすっと読めますが、やや奇妙な表現です。というのも、「現実の私」や「現実の今」という言い方を認めるんだったら、いま目の前にいるみなさんは「可能な私」であり、昨日は「可能な今」になる。しかし、それらは可能的なものなのか。それらはオバマ世界(可能世界)と同じ程度の実在性しかないのか。まったく素朴な意見ですが、そうではないと私は感じる。

その違和感について少し述べてみましょう。「可能」という言葉の一般的な意味――様相の指標化を経ていない意味――において、可能な事柄は、現実に起こっても起こらなくてもよい。たとえば私がスカイダイビングをすることは可能ですが、私が死ぬまで一回もスカイダイビングをしなかったとしても、それは可能であったとされます。しかし、他者が「私」であることや昨日が「今」であることは、その意味で可能なのではない。「私」であることが可能だが現実には一度も「私」にならない人物や、「今」であることが可能だが現実には一度も「今」にならない時点はありません。

「世界」という言葉を使うなら、いかなる可能的「私」についてもその人物が「私」であるような(指標的)世界が必ず実在しますし、いかなる可能的「今」についてもその時点が「今」であるような(指標的)世界が必ず実在します。言ってみれは、可能的「私」も可能的「今」も必然的に実在する――そのような世界がある――わけです。しかし、私がスカイダイビングをするとか、あるいは織田信長が還暦まで生きるといった一般的な意味での可能性については、それが現実であるような世界が実在する必要はない。可能性と実在性は切り離されている。他方、ルイスのように考えるなら、それらの世界も実在する必要がありますが、それはもちろん現実性が指標的中心性に置き換えられたためです。つまり、一般的な意味での可能性について語っていないからです（ルイスは当然これこそが「可能性」なのだと言うでしょうが）。

さきほど述べた通り、「可能な私」「可能な今」といった表現は指標を様相化するものです。ところがこれらの表現は、ルイス的な様相の指標化を経たとき、もっとも自然なものになる。いったん様相を指標化してから、再度、指標を様相化することで、これらの表現はうまく機能します。この往復の過程を経たとき、「可能な私」の可能性も、「可能な今」の可能性も、一般的な意味での可能性ではなくなる。それは、指標的中心性についての特殊な可能性に置き換わっています。

質問②について

私にはさきほど述べたように、みなさんの意識がそこにあるという、とても素朴な直観があります。しかし、こうした言い方は『意識』の良いところを台無しにしてしまう。「そんな素朴な、他人の意識が世界にふわふわ存在しているようなイメージをもってはならない。世界はそんなふうにはできていない。そのイメージは——もっぱら言語の働きによる——作りものであり、このイメージができあがったときには哲学はある意味で終わっている」。それがこの本のメッセージだからです。

この話を私は理解します。でも、やっぱり不思議に感じる。どう言ったらいいのか……、この本を読んでいるときは、すごくよく分かるんですね。そうだ、その通りだ、と思う。自分にとっての〈これ〉、特別な〈これ〉があり、そしてこの言語――私の解する言語――がある。この言語はなぜか人称構造や時制構造を含んでいますから、私の〈これ〉とこの言語さえあれば、みなさんには意識があることになり、過去や未来もあることになる。ちゃんと世界は復元されて、うまくいく。だから、なるほど、この本は正しい、と思うわけです。

ですが、そう思った瞬間にふと疑問に思うのは、私はこの本を書いていないということです。この本を書いた人はいま目の前に座っている。これはしかし冗談ではなく、決定的に重要なことだと言えます。この本を書けるような人がそこにいるということによって、前言語的な〈これ〉がそこ（永井さん）にもあるという感じがするからです。私の〈これ〉と同等であり、私の言語によって復元されたのではない本物の〈これ〉が、やっぱりそこにもある。そうじゃなかったら、他人がこの本を書けるわけがない。このように感じるのです。

微妙な言い方になりますが、私はこう言うことで独我論――いま問題にしている意味での独我論――を反証したいわけではない。そうではなく、他者の独我論的言説を、その言説が累進構造に絡めとられて「言えなくなる」ということまで含めて聞き、それを自分が言ったのだったらまったく正しいと思うことによって逆に、他の〈これ〉があることを信じさせられてしまうと言いたい。つまり、独我論を他者から教わり、しかもそれが正しいと思うことで独我論から離れると。

「信じさせられてしまう」と言いましたが、この表現の受動性には特別な意味があると思います。それは論理的な反証ではないし、いわゆる仮説的推論（アブダクション）でもない。うまい表現が見つかりませんが、それはいわば「落としどころ」であって、他人に直接落とされるのではなく、意図的に自分で落ちるのでもなく、自然にそこに落とされてしまいます。

上野さんが質疑応答をしたときに、なんで親はそんなに親切なんだ、という話がありました。独我論を子どもに教える――その子どもの〈これ〉だけがあると教える――という、おそろしく親切で奇妙なことをしなければ、そしてその独我論からの脱出経路までも示さなければ、人称言語を子どもに教えられない。ところで、この本はその親とまったく同じことをしているんじゃないか。なんで、そんなに親切なのか（笑）。親が子どもにやったこと――人称言語の教育――を、この本ではもう一度繰り返しているように見える。

しかしそんな教育は、普通のやり方では不可能でしょう。親が言ったことを子どもが覚える、といったやり方では。子どもは実際、三歳くらいになると人称言語を使い始めますが、どう見ても勝手に覚え取っている。口真似から突然飛躍して、自分以外の〈これ〉があるかのように喋り出します。これはきわめて不思議ですが、この本が理解できることも同じように不思議です。そこではきわめて不思議なことが起こっている。そして、まさにこの本の最後は、そのことに触れて終わっています。「この本が言っていることは実は言えないいんじゃないですか」という質問に「そう思います」と答えて終わるんですね。ちょうど、子どもが親に対して、「あなたが教えてくれたことは実は言えないいんじゃないか」と問い、親が「そう思う」と答えて終わるわけです。

私の直観を繰り返すなら、こちら（自分の側）にもそちら（他人の側）にも〈これ〉があるからこそ、そして、この前言語的な事実によって累進がスタートするからこそ、この不思議な教育――人称言語の教育――が可能になるように思われます。他の〈これ〉があるという直観は、独我論への反証によって得られたのではない。むしろ、他者から独我論を学び、それに説得されるという一連の事実（独我論の言説内部に、この事実を取り込むことはできない）を通して、その直観は強化されます。

個人的な知識と対比して集団的な知識――個々人の知識のネットワークとして集団的にのみ所有される知識――というものが論じられることがありますが（たとえば現代医学の全知識）、そこで言われる集団的知識は、寿命や知能や記憶力の限界をもたない神のごとき個人であれば所有することが可能です。つまり、事実上は個人で所有不可能ですが、原理上は個人で所有可能です。

では原理的に個人で所有不可能な知識――原理的な意味での集団的知識――というものはあるのか。他人に〈これ〉があるという知識は、もしそれが知識と呼べるなら、これにあたるでしょう。他人に〈これ〉があるということを個人的に知っている人物はいません。知識論の語彙で言うなら、他人に〈これ〉があるという知識を個人的に「正当化する」ことはできません。では集団的になら正当化されるのかといえば、そうではない。これは正当化されるような知識ではなく、集団的にあぶり出されるしかない知識であり、それは独我論の交換によって実行されます。つまり、人々がお互いに「私には〈これ〉がある」と教え合うだけでなく、「あなたには〈これ〉がない」と否定し合うことによって、そのあぶり出しはなされます。

そんなこと、普通はやっていないと思われるかもしれませんが、私たちは実際には、こればかりやっているとも言える。というのも日常の会話は――ただ「痛い」と言うだけでも――他人には感じられない私だけの感覚への言及で満ちており、それは「心理／現象の累進構造」を話者の最上段に向けて昇るものとして流通しているからです。公共的に流通する限り、それは「心理概念に格下げされた現象概念」への言及にすぎないとしても、累進構造をすでに知っている人物（実は万人）はそれを累進構造への言及として聞くのであり、これはつまり、他者の独我論を聞かされることに等しい。

ここでは、ニワトリ（累進構造を知る）が先か卵（累進構造を聞く）が先かと問うのではなく——ニワトリと卵をともに言語がつくったと答えるのでもなく——、ニワトリと卵がお互いを強化し続けるという事実に目を向けたいと思います。他の〈これ〉があることを「信じさせられる」には、一匹のニワトリ、一個の卵があるだけでは駄目で、長い時間をかけて、より強いニワトリがより強い卵を、より強い卵がより強いニワトリを、生み続けなくてはなりません。だから、そうした時間経過抜きに、他の〈これ〉があることをいっぺんに論証することはできないし、そんなことをする必要もない。そして逆に、ふと、この時間経過を忘れて、やっぱり他の〈これ〉はないんじゃないかと疑うことがあってもおかしくありません。むしろ、時間性を無視するほど、その疑いは論理性を増すかもしれない。論理は無時間的なので。

さきほど、「あぶり出し」と言いましたが、もちろんそのようなレトリックで問題が片付くわけではありません。その内実についてもう少し述べれば、私は言語というものが、必ずしも一対一対応するかたちでのみ知識と結びつくとは考えていません。「私には〈これ〉がある」「いや、あなたには〈これ〉がない」という会話があったとき、この二つの発言がそれぞれ個別の知識の表現であるなら、単純に、ここには矛盾があります。でも、このやりとりの全体が一つの知識の表現であるなら？　そして、累進を語る言語が初めからそのようなものであるなら？

私はこの問題をまだうまく展開できませんが、矛盾する発言の交換が、その交換自体を込みにした表象として一つの知識を表現する、という考えに惹かれています。「私」や「今」だけでなく「痛い」といった言葉もまた、それを含んだ文は一対一対応で知識を表現するのではなく、表面上矛盾するような他の文との交換によってのみ、ある知識――原理的な意味での集団的知識――を表現するという考え。この仮説について、少しだけ述べてみましょう。

「渡辺は歯が痛い」という文は普通、それ単独で一つの知識を表現すると考えられていますが、この「痛い」が累進を引き起こす「痛い」であるなら――それ以外の「痛い」などないと私は思いますが――、この文はそれだけでは機能しません。この文は、たとえば、「森内は渡辺の歯が痛くない」という文と交換されてこそ機能します。交換ということを厳密に取るなら、渡辺さんの「この歯が痛い」という発言と森内さんの「その歯は痛くない」という発言が交換されなくてはならない、ということです。いや、森内さんがいなくても、それどころか渡辺さん以外の人間が一人もいなくても、渡辺さんは痛いじゃないか、と思われるかもしれませんが、そのときにはもう「痛く」ありません。渡辺さんは渡辺さんの痛みを、他人がもっていないものとしてのみ、もつことができるからです。以上は、あくまで仮説です。

ところで、前言語的に他の〈これ〉がある、という素朴な直観を捨てると――『意識』はその方向で書かれていますが――言語がものすごい力をもつことになります。どういう力かというと、②で書いているように、言語と〈これ〉さえあれば、他人の意識とか、あるいは可能世界というものがあることになってしまう力。特にまずいと思うのは、可能世界の方ですね。言語と〈これ〉さえあれば、可能世界も他人の意識と同等の意味で、あることになるわけですから。

質問②『意識』によれば、前言語的な〈これ〉と言語さえあれば、その力だけで他我や過去があることになりかねない。また、前言語的な〈これ〉と言語さえあれば、可能世界もあることになりかねない。無防備な言い方になるが、他の〈これ〉もまた前言語的にあるからこそ、概念内部での累進ではない真の累進が始まるのではないか（可能世界については前言語的な他の〈これ〉がないので真の累進が始まらないのではないか）。そうでないなら、言語というものにあまりにも強い力が与えられているように見える。

言語は、ウィトゲンシュタインの『論考』という本がそのように読めると思いますが、言語としてただあるだけで、この現実世界をたくさんの諸可能世界の中の一つとして位置づけるという、例の累進構造を生む力をもっていると見なせます。つまり、「ここにオバマはいない」と言った瞬間、この文が意味をもった瞬間に、ここにオバマがいる世界というものも想定される。そして、「いない」世界と「いる」世界のうち現実は「いない」世界の方だ、というふうに、現実世界が諸可能世界の一つに位置づけられる。だから、前言語的にたくさんの〈これ〉があると考えずに『意識』を理路に従って読むなら、言語のパワーだけでいま述べたことが起こりますから、可能世界も他人の意識と対等の実在性をもつことになりかねない。みなさんに意識があるのと同様に、オバマ世界もあるし、ここに象がいる世界もあるし、いま地球が滅んでいる世界もある。これでよいのか、というのが②の論点です。

ついでに述べると、可能性の累進を発動する言語がどこから来たのかは答えられません。それは過去から――「親」に育てられた幼児期から――来たのではない。過去もまた指標的諸可能性として、この言語によって開かれたのであり、その言語以前に過去はないからです。

『論考』の言語観は静的だと言われることがありますが、それがこのことを指しているなら、それは運動／静止という区別が成り立たない次元での「静的」です。運動／静止の可能性もまた、今、ここ、私の言語が開くのであり、その言語自体は動きも止まりもしない。「言語としてただあるだけで」と私はさきほど言いましたが、この意味での言語はいわば、ただあることしかできません。

質問③について

②では言語にものすごい力を与えたわけですが、それはやりすぎではなかったか。言語があるだけではなく、言語が伝わることによって累進が起こるんじゃないか、というのが③の論点です。言語の伝達によって〈これ〉が表返される――「表返す」というのは『意識』に出てくる美しい表現ですが――、つまり、この私やこの現実が、諸私あるいは諸現実の一つとして位置づけられる。そう考えられないか。例の累進構造もまた、伝達によって成立するのではないか。

質問③　それとも、言語そのものではなく言語の伝達が重要なのか。言語伝達における累進によって〈これ〉は「表返される」のか。もしそうなら、他我や過去は本当にあるが可能世界は本当はない、という素朴な――しかし強力な――直観の非対称性は、言語伝達の相手の実在／不在の非対称性に由来するのかもしれない。別の問い方をすればこうである。他の〈これ〉の担い手の候補（他者や、過去・未来の私）は、どのような基準で選ばれるのか。言語伝達の相手になりうることが、その基準に含まれるのだろうか。

③では、言語そのものではなく言語の伝達に注目することで、他我や過去の実在性と可能世界の実在性との非対称性を救おうとしています。言語伝達の相手がいるかいないかが重要なのではないか、ということです。他者はそのような相手としているし、それから過去も、その過去の住人（とりわけ過去の私）ということでよければ、そのような相手として――こちら（今の私）は受け取るだけですが――います。しかし可能世界については、たとえ可能世界の住人ということであっても、言語伝達の相手はいない。この「いる／いない」関係が、他我や過去はあるが可能世界はないという実在性への直観につながるのではないか。

別の問い方をすれば、こうです。他の〈これ〉の担い手の候補、たとえば他人とか過去の私、こういったものはどういう基準で選ばれるのか。入不二さんの質疑応答のときに、無内包の〈この〉についての議論がありました。〈この〉の後ろに付くのは「世界」とか「私」とか「今」だけでなく「ペットボトル」でも「パソコン」でもよい、といった議論です。これはつまり、〈これ〉の担い手の候補をどうやって絞り込むかという話ですね。その基準は何なのか。③で検討されているのは、言語が伝わる相手であることが、その基準に含まれるのではないかということです。もし、これが本当だとしたら、ペットボトルではまずい。とはいえ、〈この〉ペットボトルと言えるかどうかは非常に難しい問題で、私は断定的な答えをもちません。

③をもう一度まとめてみます。〈これ〉の候補を、言語伝達の相手になるか否かで絞り込むというやり方があるかもしれない。そして、もしかするとこのやり方が、他我や過去の実在性と可能世界の実在性との非対称性の由来なのかもしれない。

ところで、この絞り込み方にはまだいろいろあって、たとえば『意識』でも、意識ゲーム（「意識を失う―意識を回復する」ゲーム）に参加できるかどうかで候補を絞り込む、ということをやっています。意識ゲームとは要するに、意識を失ったか失っていないかの判断についての言語ゲームです。犬や猫は言葉を喋れませんが、意識ゲームには参加できるかもしれない（人間が彼らを参加させるだけであって、彼らが参加するのではない、という点が重要なのかもしれませんが）。だから、その意味では、〈この〉犬とか〈この〉猫――あるいは犬や猫の〈これ〉――と言える余地がある。他方、ペットボトルについては、現実性、無内包性に特化した話の事例として挙げられていますから、言語伝達とか意識ゲームなんてものは飛ばされてしまいます。「無内包」とはまさにそういうことですね。内包がないということは、候補を絞り込むための基準もない。だから、何にでも〈この〉が付けられる、と言いたくなるわけです。

質問④について

①から③まではひとつながりでしたが、④からは少し別の話です。哲学ではたまに、「他者の意識を見たとしても、見るのがつねに私である以上、それは私の意識だ」といった話がされますが、これはある意味では正しい。「過去の意識を見た（記憶を思い出した）としても、見るのがつねに今である以上、それは今の意識だ」というのが正しいのと同じ意味において。では逆に、記憶が現在と過去を現象的につなげるのと同じ程度になら、何らかの新しい知覚経験が私と他者を現象的につなげることもできるのではないか。つまり、記憶にあたるものが他者との間に成立することは可能ではないか。これが④の問いかけです。

質問④　非言語的な記憶の働きによって、現在と過去は現象的につながる。『意識』はこう論じることで、「私」の持続（その感覚）を説明する。それでは、過去との現象的紐帯に類比的な、他者との現象的紐帯はありうるか。記憶で過去を見るように、他我をそれ特有の仕方で（現在の私の経験とは完全に区別されたものとして）見ることができれば、それはありうるかもしれない。このとき興味深いのは、その特有の感覚が、持続の感覚——とりわけ「時間が流れている」という感覚——とどう異なるのかである。

④で個人的に気になるのは、最後の一文の問題です。記憶にあたるものが他者との間に成立することは可能かもしれない。しかしそのときに得られる感覚は、持続の感覚とは違うだろう。というのも持続の感覚は、たんに過去の意識を見ることだけでなく、過去の意識から今の意識への変化を見ることも含むはずだからです。一秒前とか〇・五秒前といったごく最近の記憶について考えるなら、このことは伝わりやすいでしょう。ただ過去が見えるだけなら、物が動いていることを知覚できるかどうかも怪しい。パラパラ漫画の絵を個別に寄せ集めても、変化や動きが生じないように。

でも、このように言いながら、持続の感覚ということで何を考えればよいのか、私にはよく分かりません。それが、過去と現在の単なる連結でないことは分かる。過去から現在への流れを捉えていなければならない、と言いたくなる。でも、それが実際にどういうものかを説明することはとても難しい。ひょっとするとそれは、時間の流れという錯覚を説明することなのかもしれませんが、この錯覚の外に出たことのない私は、それがどのような錯覚であるかを言い表す語彙をもちません。あるいは私は開き直って、こんなふうに言ってしまうかもしれない。「見ての通り、世界は変化している。私の知覚する世界はつねに動いている。むしろ私は、変化していない世界、動いていない世界などというものを見たことがない。だから、時点ごとに切片化された静的な世界にどうやって時間が流れるのか、などといった質問は、質問の意味がそもそも分からない」

ところで、持続の感覚の問題は、「私」の持続の感覚の問題と切り離せないでしょう。つまり、さっきまでの意識と現在の意識がともに「私」の意識であるとはどういうことか、という問題と。この問題については、カントなどを下敷きにした膨大な研究がありますが、私が気になるのはさきほどと同様、「連結」と「流れ」の違いです。「私」の持続の問題はしばしば、過去の私と現在の私の同一性の問題に落とし込まれてしまい、それは結局、過去と現在の連結の問題になります。そうして、過去の私が現在の私に*なる*ことの、流れの問題は消え去ってしまう。

でも、それでは持続の解明には足りない。持続の感覚の解明にも足りない。〇・五秒前の私と現在の私が心理的・物理的に連結されたところで、時間の流れが除かれているなら、やはり、パラパラ漫画を寄せ集めたにすぎないからです。パラパラ漫画は時間的にパラパラとめくられていかなければならない。その知覚がたとえ錯覚であっても、そのような錯覚が生じるためには何が必要なのかが知りたい。

『意識』での持続の議論も、過去の私と現在の私の自己としてのつながり、つまり連結の問題に目を向けており、流れの問題には触れていません。これは他の永井さんの著作でも――〈私〉の持続をクローズアップした『転校生とブラック・ジャック』(岩波書店、二〇〇一年)でも――同様であると思いますが、このことには議論上の必然性があるかもしれません。「私」「今」「現実」を同型のものと見なすとき、「今」だけに動きを――時間の流れを――認めることは、率直に言って余計だからです。

質問⑤について

みなさんの中でもし、心身問題とかいわゆる心の哲学に興味のある方がいれば、⑤は最重要の論点でしょう。『意識』はいわば全員に意識が行き渡るところで終わりますが——そこで哲学は終わると言っているわけですが——、普通の心身問題はそこから始まる。そして、心身問題がそこから始まるときには、物理世界（三人称的世界）が因果的に閉じているということが付加されます。これが加わったときに初めて、心身問題が現れます。この閉鎖性の事実を抜きにすると、心身問題とは結局、他我問題（指標問題）なんですね。心身問題とは他我問題なんですが、そこにこの閉鎖性が加わると、非常に特殊なかたちで他我問題と因果問題がつながります。それが心身問題だと私は考えます。

質問⑤『意識』では、心身問題を他我問題の内部に取り込んでいる。心身問題は因果的閉鎖性の前提のもとで初めて意味をもつと私は思うが、本書ではこの前提をどう扱うのか。因果的閉鎖性を重視しないために、本書には心身問題が現れないのではないか。また、現象判断のパラドックスも因果的閉鎖性のもとでの意識の「言えなさ」（意識の因果的無効力）に関わるのだから、この「言えなさ」は、意識の累進的な「言えなさ」（意識の概念的無効力）とは別の問題——心身問題？——を生み出すのではないか。

『意識』での議論について言えば、心身問題の中核に他我問題があることを十全に解き明かしていると思いますが、因果的閉鎖性の問いに冷淡であるため、結局のところ、普通の意味での心身問題は扱われていません。これはウィトゲンシュタインの哲学にも共通する特徴だと思われます。チャーマーズは反対に、この因果的閉鎖性をきわめて重要視しますが、そのとき、他我問題と因果問題の間に強引に橋をかけてしまう。他者（あるいは過去・未来の私）から見えないという意味で指標的に消える意識と、因果的閉鎖性から排除されるという意味で様相的に消える意識を、ともに「消える」という一点において——二つの「消える」は異なっているのに——重ね合わせてしまう。

「現象ゾンビ」という想定がまさにそれで、あの想定の根本的な困難はこの「消える」の多重性にあります。しかし、この話は長くなるので別の機会に譲らせてください。いまはこの話が、①で見た、指標の様相化と様相の指標化の話に通じているとだけ述べておきます。私の予見が正しければ、指標概念と様相概念が癒着してしまうことで、本来重ならないこの二つの「消える」が重なり、現象ゾンビが発生します。

⑤の最後の問題は『意識』でも簡単に触れられていますが、本当に大変な問題だと思います。たとえば今日の話に出た「無内包」であるとか、そういった言葉を私は喋っていますけど、「無内包」という言葉はこの口を動かして喋っているわけですね。この口が動くということは物理現象ですから、「無内包」という言葉も、物理現象として発せられている。脳みそなり筋肉なりが、因果的に閉じた世界の中で「無内包」という音を出させている。とはいえ、そうした物理現象が、もともと言いたかった無内包のあり方——まさに無内包であること——と因果的につながっているはずがない。いわゆる随伴現象説というのは、要はこのことだと思います。つまり、随伴「現象」と言いますが、あれは随伴「指標」であり、随伴「現実」である。その随伴性が物理世界の因果的閉鎖性とぶつかるというのが、心身問題の本性でしょう。

この問題を私はよく、映画のフィルムの比喩で考えます。連続したフィルムの一コマがスクリーンに映し出されている。そして、スクリーンに映った人物が「私は今映し出されている」と言っている。この発言は正しいですが、しかしまともな正しさではない。そのコマが今たまたま映されているという事実によってこの発言は正しいわけですが、このコマの中の人物がその事実に基づいてこの発言をしているはずはない。この発言は、フィルムがどのように再生されるかとは関係なく、フィルムに刻まれているのですから。

歴史を一巻のフィルムに喩えるなら、因果的閉鎖性とは、どのコマの内容も他のコマの内容によって（法則的に）定まっており、フィルムの外部の事実によっては定まっていないことだと言えます。さきほどの人物の発言「私は今映し出されている」も、他のコマとのつながりのなかで発せられるわけで、そのコマがスクリーンに映し出されているという事実によって発せられるわけでは、もちろんない。この事実と、フィルムの内容とをつなぐ因果的経路はないからです。

指標的中心であることや現実であることの無内包性は、因果的な無効力性でもあります。指標的中心であることや現実であることは、あるコマがスクリーンに映し出されているという事実に対応する。だから、そのことを捉えたかのような発言――スクリーンに映し出されていることについての発言――が可能であるのは、とても奇妙なことです。

この言い方では分かりづらいかもしれませんが、たまたまの事実についてそれが起こっていると正しく言うのと、ある事実についてそれが起こっているとたまたま正しく言うのとは、まるで違う。「私は今映し出されている」という発言が正しくなるのは、発言者が前者を意図していたとしても、後者の意味においてのみ可能です。しかし、前者の意味で言えるのでなければ、言いたかったことは言えていないのではないか。ウィトゲンシュタイン的な意味で言えないだけでなく、因果論的に——私の考える意味での心身問題において——言えないのではないか。

別の例を出しましょう。ある本のページを開くと、「この文章は今読まれている」と書いてある。これは正しいわけですが、だからといって、その予言が当たったことに驚く人はいないでしょう。というのも、この予言はある意味では無内容だからです。それは、この文章が読まれているときにこの文章は読まれている、と言っているにすぎない。同語反復的に正しいにすぎない。そして、この正しさが現実の世界で成立したのは、たまたまその文章が読まれたという、本の外部の事実によります。もし誰もこの本を開かなかったなら、この正しさが現実化することはなかった。さきほどの予言は、現実に読まれたならばつねに当たりますが、現実に読まれなければ当たりません。つまりそれは、必然的に真でありながら、偶然的にのみ当たる予言なのです。

さきほどのフィルムの例における「私は今映し出されている」との発言は、この予言と同型です。その発言のコマが映されたなら、その発言は正しくなる。しかし、この正しさの成立は、そのコマがたまたま映されているという事実に全面的に依存している。そして次の点が重要ですが、にもかかわらず、このコマが映されているという事実と「私は今映し出されている」という発言とは、因果的にまったくつながっていません。そのコマが映されていることが、この発言をひき起こしたのではない。この発言は、他のコマの内容とのみ因果的につながっています。

ここまで述べてきた話は、このシンポジウムでの文脈から言えば、「自分に意識がある」という発言についても当てはまります。というより、初めからその話を意図していたわけです。「自分に意識がある」と私は言えますが、しかしこの発言が、そこで言おうとしている事実によってひき起こされているはずはない。それは、口の筋肉の運動だとか、それに先立つ脳内の変化などによってひき起こされているのであり、そうした原因さえあれば、私に意識がなくてもこの発言はなされます。だから、この発言は、ある事実――私に意識がある――をたまたま正しく言い当てているのですが、それなのに、この事実を始点にすると、たまたまの事実をずばり言い当てているように見えます。まるで、意識があるから「意識がある」と言っているように見えるわけです。この「から」を、通常の因果的な「から」として理解することはできません。通常の因果が時間軸に水平であるのに対し、いま問題にしている因果のようなものは、時間軸に垂直です。それがもし因果であるなら、それは一種の自己原因（自分で自分をひき起こすもの）なのです。

意識の因果的無効力の問題の、プリミティブな形態がここにあります。いわゆる随伴現象説では、物質だけが物質を動かすのだから身体という物質も非物質的な意識によっては動かされない、という点が強調されますが、この問題を遡ると、意識があるという事実と意識があるという報告（発言）との因果的断絶に突き当たります。意識というものがあるのだがそれは身体を動かせない、という話は、意識というものがあると言えて初めて展開する話であり、それを言うためにはどうしたってこの口を（手でも何でもよいですが）動かさなくてはならない。これを瑣末な問題と考え、意識があることの報告と意識があることの認識は異なる（後者は心の中だけでできる）と考えるのはナイーブすぎます。意識があることの内的な認識は、物理的機構に依存した「心理的」認識であらざるをえず、問題は、意識があるという「現象的」事実がいかにしてこの「心理的」認識と連動するのか、という点にあるからです。どうやって口を動かせるのか、という問いは、その分かりやすい表現にすぎません。

心の中の独り言であっても、意識があるという事実は、意識があるという報告と連動しなくてはならない。しかし意識というものがこのシンポジウムで論じられてきたようなものであるなら、それが因果的連動であることはありえません。そして意識の無内包性に注目するなら、そこにはいかなる連動も——たとえば概念的連動も——ない。にもかかわらず、我々は意識について語るわけですから、ここにはやはり難問があります。

2

永井均との討論

発表用レジュメ再掲

質問① 実在性への直観において、デイヴィド・ルイスは様相を指標化した。可能世界は全て実在し、どの世界も（この現実世界も）その世界から見れば現実だとされる。反対に、指標を様相化するなら、それは一種の独我論に近づく。この私やこの今は、いわば現実の私であり現実の今であり、特別な実在性をもつことになる。『意識』では様相と指標の並行性が示され、両者がともに累進構造をもっていることが指摘されるが、それでは様相の指標化と指標の様相化の間にも累進が生じるのだろうか。

質問② 『意識』によれば、前言語的な〈これ〉と言語さえあれば、その力だけで他我や過去があることになりかねない。また、前言語的な〈これ〉と言語さえあれば、可能世界もあることになりかねない。無防備な言い方になるが、他の〈これ〉もまた前言語的にあるからこそ、概念内部での累進ではない真の累進が始まるのではないか（可能世界については前言語的な他の〈これ〉がないので真の累進が始まらないのではないか）。そうでないなら、言語というものにあまりにも強い力が与えられているように見える。

質問③ それとも、言語そのものではなく言語の伝達が重要なのか。言語伝達における累進によって〈これ〉は「表返される」のか。もしそうなら、他我や過去は本当にあるが可能世界は本当はない、という素朴な――しかし強力な――直観の非対称性は、言語伝達の相手の実在／不在の非対称性に由来するのかもしれない。別の問い方をすればこうである。他の〈これ〉の担い手の候補（他者や、過去・未来の私）は、どのような基準で選ばれるのか。言語伝達の相手になりうることが、その基準に含まれるのだろうか。

永井　③は「こうだろう」ということですか？　これは質問じゃなくて、「こうなのではないか」と？

青山　③では②に反論して、代案を出しているわけです。

永井　ああ、代案を出してる……。でも積極的に主張をしているわけでもない？

青山　はい。

永井　中間ぐらい？　「こういうこともありえるかな」と？

青山　そうです。

永井　僕は、公式見解としては、この③をある程度主張しています。そうだろう、こうなんだろうと思います。で、そうじゃなく考えるとしてですね、最初のところでいろいろ言われたときに青山さんは、他人も普通に意識をもってるような感じがあるじゃないか、というふうに言われましたね。それで、他人も「私」だと。それはこうなんじゃないですか。もともとのこの議論は、特に入不二さんが今日言われてるような意味での強い現実性というのをとるとすると、他の人も心があったり意識があったりするのはもう初めから認めていいと。全然認めちゃっていいし、他の過去や未来も普通にあると。それは全然、常識どおりに認めたい。その上で現実性だけひょこっと付く、みたいな。そういう話であってかまわないんですよね？　この議論において、本来は。入不二さんはそれでいいんですよね？

入不二　ええ。

永井　それで、これについてはですね、その、一番新しい『なぜ意識は実在しないのか』というこの本だけ、私としてはこれまでと違う議論をしているんです。何が違うかというと、「意識」というものの特殊な在り方を、そういう入不二的な意味での現実性の方からその累進性によって逆に説明しようという「野心的な」企てを、ここで初めてやっているんですね。こういう議論は前はしてないです。してないというか、前は普通の意味で心とかそういうものがみんなにあるという常識をむしろ認めて……、その点では独我論とかそういうものを否定しているわけです。独我論とか非常識な考え方は否定して、独我論というものが本当に言おうとしてるのはそういうことじゃないんだと。他人には意識がないかもしれないとか、ゾンビかもしれないじゃないかとか、そんなこととは関係ないんだということを、むしろ言ってたんですね。

この新しい本では——新しいといっても二〇〇七年ですからもう古いですけど——ちょっと違うことを言っているわけです。というのは、そもそも「意識」という概念がどこからできたかということを、強い意味での私だけがもつ、特別な意味での現実性をもつ「この意識」の方から、それの「この」性の方から、それこそそこで青山さんが言われているような言語の累進させる力みたいなものによって、みんなに概念的に振り分けるみたいな(笑)、そういう議論をやってるんですね。この議論は言語に、というか何かしらロゴス的なものに、非常に強い超越論的な力を与えることになりますね、確かに。

だいたい、山括弧の私とか現実性とか、そういう表現で言っていることと、意識とか主体とか心とか、そういう主観性を表すいろんな言い方があるけれども、そういうものとの関係というのは、実はよく分かっていないんですね。そこでここでは、意識を各人に備給していく源泉がこっちの現実性の側にあって、それをいわば言語的な形式が形の上でだけ模写して割り当てて世界を複数化していくみたいな議論を、そういうふうなイメージで考えて、しているわけですけど、それが本当に成功したとしても、あやしい(怪しい? 妖しい?)感じが残り続けるというのは確かですね。

　でも成功したときには、本当に、少なくとも自分自身はそこで納得する可能性がある唯一の議論ではありますね。世界は本当にそうなっていて、つまり「意識」とされているもののもとが、ここにしか本当にはなくて、あっちのやつらは何か言語的なものの力によって、超越論的に、それこそ可能的・概念的なものとして作り出されてるんだ、そして事象内容としてはそれと全く同じことが他者の側からもなされて、われわれのこの言語的世界が成立しているんだ、と。これは現にある世界の構造を全くありのままに正しく写し出した唯一の理論であると納得できます。しかもこれは構造上反証される可能性はまったくないですし、これ以外の考え方はすべてこれの帰結なんだと考えて、何の問題もなくなると思うことは、全然できます。で、私は実はもうほとんどそう思っている（笑）。これを書いたときには、書きながらそういう気持ちになって、自己納得して、そうだったんだな、と。これで全然問題ない、と。これって、反論されても反論されない構造になっているんで……（笑）。さっき青山さんが言った、他の人が受け入れると違う話になるということは、もともとそうあるべきことで、こっちからすればそうなっていてくれなくては困ることなので、べつに困ったことではない。それと、この議論自体がすでにして、もともとの現実の言語化された反復にすぎないので、その限りでは誰もがこれをそのままの形で受け入れることができる。ちょうどデカルト的「我あり」を――デカルトから学んだにもかかわらず――誰もが受け入れることができるように。

　ですから、字面でこの文章に答えますと、①の……、ああ、そうそう、そこに「独我論に近づく」とありますけど、その意味では、独我論に近づかないのが、本来の、私がずっと言ってきたことです。独我論に近づくというのは、無内包じゃなくて、いわば内包を何か取り入れているわけですね。何らかの内包を入れて、何らかの中身を入れてるから、意識があるのは俺だけみたいな話になって、独我論に近づくわけだけど、全然独我論に近づかないかたちで独在性を単なる現実性として捉えて、心とか意識とかそういったものは全部みんなにあることを認めることができるというのがポイントなんです。

しかし、もう一つ言うと、完全に自立化されたかたちで、今日ここで使ってる強い意味での現実性を構想するということができるのか、つまりまったく独我論的ニュアンスは抜きに、つまり心とか意識とかそういうものとまったく関係なく、それを考えるということができるのかどうか、という問題がそもそもあるんで、私はそれはできないと思うので、通常とは備給源泉を逆にして、意識一般をそこからの言語的・ロゴス的構成態とみなす方向でやってみたのですが……。入不二さんは、それはどう考えますか？

入不二　そうですね。最後の方の「もう一つ言うと」以下のところが、争点になりますね。私の考えている……、言ってしまえば、先ほどの主体とか主観とか意識とかっていうのと、山括弧〈　〉が表そうとする現実性自体ですね、それは最終的には別物だと、思っています。それが、「無内包」ということのポイントだと思います。じゃあどうして私の心とか意識とかが、優先的に〈　〉の中に入るのかというと、それはある種の「方便」だと考えます。身も蓋もない言い方ですけど、もちろん、それが「方便」として働く理由はそれなりにあると思うんですね。先ほどの、「この」が付くものを、どうやって絞り込むかという基準の話と同じですけれど、「絞り込み」という「方便」を通して分かったはずの「現実性」っていうのは、実はその「絞り込み」や「絞り込まれた範囲」とは結局は関係がない。その関係の無さ

（これがさっきの無内包性ですが）までを含めて理解して初めて、「現実性」ということを捉えたことになるんだと思ってるのです。だから、「最終的には」なのです。その段階で言うならば、「方便」（絞り込みやその範囲）という梯子は、切り離していいと思っているわけです。別の言い方をしますと、現実性の「この」は、最初の段階では、多くの相並ぶものの中から唯一のものを選び出すように働いているように見えます。これが、「方便」に相当します。しかし実は、現実性の「この」は、選び出す働きなどしていない。現実は、選び出されることなど経ることなしに、それが全てでそれしかないものですから。したがって、強い意味での「現実」「現実性」っていうのは、その理解の方途としては、心や意識や私に依拠した唯一性のように見えていいのだけれども、ほんとうは心や意識や私に依拠していなくて、むしろ何にでも無差別に憑依している全一性であって、全然独我論的ではないということになる。

永井　そうするとあれですか？　たとえば、この青山さんの②の六行目に「他の〈これ〉」という表現がありますけど、これは入不二的にはありえない？

入不二　そうですね。

永井　そもそもそんなものはありえない？　不可能だから。「他の」っていうのはそもそもない、と。

入不二　そうです。ええ。〈これ〉は、全てであり、それしかないですから。現実は、他の現実というものがそもそもありえない仕方で、「一つ」ですから。にもかかわらず、こっちの現実とそっちの現実に区別があるように見えてしまうのは、現実に内包を加えてしまうからです。

永井　で、③のところには「他我」とかそういうのが出てくるけど、「他我」と「他の〈これ〉」は違うわけで、他我は普通にいる。他に人間が、意識があるやつが、いっぱいいるわけで、それから自己意識もあるし、自我もいっぱいある。ただね、僕は元来の立場は入不二さんと同じなんですけど、でも、これは若干あやしい感じがあって、関連がもし断たれたら意味が理解できないんじゃないか、と。〈これ〉って言うときに。実は、意識とか心とかそういう主観的、観念的、内面的なものから何かニュアンスを受け取って、秘密裏に使っている気はしませんか？

入不二　その「秘密裏に使っている」こともまた、累進構造だと思うのです。〈これ〉に内包が注入される段階と、〈これ〉から内包が捨て去られる段階とが、何重もの入れ子構造になっているのだ、っていうふうに考えています。つまり、「方便」とその切り離しということを言いましたが、もちろん強い意味での「現実」が離存実体として認められるとは思っていないのです。「方便」の中は、「方便」とその「方便」とは切り離しうる無関係な「現実」とが、込みでいっしょに入っている。そして、ここにも累進構造があるんですね。だから、永井さんの言うように、たしかに密輸入している。まあ、密輸入せざるをえない構造になっているんだと思います。だから、密輸入すると同時に、でもそれは本体じゃないですよっていう切り離し、その両方が「込み」なんですね。内実・内包である「意識」や「心」とは全然無関係なのが「現実性」ですよっていうことも、「密輸入」することと一緒に入ってないといけない。その二つが折り畳まれて入っているということも、累進構造だと思うのです。

永井　私はそれでいいと思いますが、青山さんはそれでいいですか？　理解しました？　納得？

青山　はい……。その話を全て僕が考えたのなら分かる。これはやっぱり大問題で、この本の内容を——入不二さんのいまの発言も——僕が考えたのなら、すっきり寝られるんですが……。こういう親切なことを言ってくれる「親」がいるということは、やっぱりそっちにも現実があると、そう思ってしまうんですね。

入不二　答えになっているか分からないですけど、最初のところに戻って、様相の話をするときに、「現実―可能」って、こう言うわけですね。だけど、このように並べるときは、それこそルイスも言及されているし、現実世界と可能世界っていう対比で出てくるわけですね。だけど、今言っているような「現実」「現に」っていうのは、そういう「可能」と並ぶような「並列的な」意味は入ってこないと思うんです。だから、対を作っておいて、それを指標と比べてどっちをどっちに近づけるっていう議論は、今ずっと問題にしている「現に」とか、強い現実性とか、無内包の現実には当てはまらない。強い現実性は、「現実―可能」っていう対の一方ではない。青山さんは「そっちにも現実がある」という言い方をするけれども、そのように「こっち」「そっち」に「現実」が振り分けられると思っているのは、現実が何らかの内包（意識とか心とか）に依存しているからであって、無内包の水準においては、「現実」に「こっち」も「そっち」もないのではないか、ということです。結局、何が言いたいかというと、「現実」とか「この」という言葉遣い自体に、たくさんの層が入り込んでいると思うんですよね。別にどれを肯定してどれを否定したいというのではなくて、たくさん入ってるんだということを、まるごと認めちゃいたいのです。たとえば「現実」って言ったときに、さっきの上野さんとのやりとりの中では、認識論的な現実だとか、「現にどうであるか」というその「どうであるか」というところに焦点があるような現実が一方にあって、もう一方で存在論的な「無内包の現実」があって、少なくとも二つ出てきたわけです。もちろん同じことは、「この」とか「これ」についても言えるわけですよね。というか、認識論的なものと存在論的なものの両方が入っているから、「この」とか「これ」というのを、いろいろな水準で使えるわけですよね。たしかに、「これ」がそれなりに分かるのは、それなりの内実が入っているからですが、だけど、強い意味での現実性の「これ」の理解の中には、いっしょに出てきている内包が、実は無関係であるという理解も込みで入っていなければならない。で、両者の関係と無関係、両者の癒着と区別の間を「循環して」「経巡っている」っていう仕方で、分かっているからこそ、つまり累進構造を通しているからこそ、現実性を言うために「この」が使えるんだと思う。

青山 いや……、難しいです。いわば「不純物」が入っている場合は通じるんですね。「犬の〈これ〉」とか。でも、不純物抜きだと、そもそも意味が分からなくならないか？　不純物抜きの現実が「現に」なんだ、と言ったときには、なんでそれが「現実」なんだと言われてしまうかもしれない。「現実」「可能」という言葉遣いは、僕らのふだんの言葉遣いでもあって、不純物込みで「現実」「可能」という対をなしている。たとえば、「オバマはここにいないけれど、いることも可能だ」とか言ったりする。こうした、不純物込みの用法のもとで「現に」ということを理解するわけですが、それを理解した後では不純物を打ち捨ててよいと言いたくても、不純物を打ち捨てたら意味不明になるかもしれない。このことと、〈これ〉の担い手の候補をどう絞り込むかという話は一体です。ただ、私の直観はすごく素朴で……、「素朴」と言ったのは謙遜ではなく素朴だから良いと思うのですが、可能世界というものはないと思っているわけですね。それこそ「言語の見せる夢」だと。しかし他人の意識はそうじゃないと思う。他人の意識は言語の見せる夢ではなく、あると思う。他人の意識を言語の見せる夢だと考えるときには、指標を様相化しているのではないか？　他人の意識を可能世界と同じ図式におけば、そうなります。そしてさっき言ったように、その図式を独りで考えたのであれば、話はすっきりするわけで、世界は実際そのように見える。ところで、永井さん自身がルイスみたいな様相実在論をとるか、ということを聞きたいのですが、様相実在論をとるとすっきりしませんか。つまり、可能世界は他人の意識と同じ意味で「ある」のだと。ただし、それは私が「振り分けた」ものですが。

永井　ルイスの発想をとると整合的になりますか？

青山　〈これ〉と言語があれば、それを源泉にして「振り分ける」かたちで、可能世界も他者の意識も——最上段でないなら——あってよいことになります。オバマ世界も他者の意識も同じ程度に「ある」と言えば、可能世界と他我の実在性の非対称性は気にしなくていい。少なくとも、そこに関してはすっきりする。

永井　それはそうですけど、ただ、ルイスの場合だと、もともと現実の現実性というものはなくなるわけですから、まずいでしょう？　最も根本的な現実性というものがなくなって、全てが指標化されるわけですから、逆にまずいじゃないですか。

青山　そこで併せて聞きたいのですが、①の最後にあるように、様相の指標化と指標の様相化——実在性への直観についての——も永井哲学では累進するのか？　たとえ様相実在論をとっても、この累進が生じると今度は、指標的中心であること——〈これ〉であること——が実在性よりもはるかに重要になってきます。可能世界も他者の意識も実在するけど、でも実在するということは、指標的中心であることに比べれば、箸にも棒にもかからなくなってくる。

永井　はい、はい。

入不二　ちょっと質問いいですか？　今のとこ

ろでね、「現実」というのが出てきて、「実在」と出てくるわけですね。この「現実」と「実在」の関係（違い）が、まあ分かるといえばわかるんだけど……、教えてもらえますか。私にとってはポイントなんで……。

青山　はい。つまり現実性と実在性は上位争いをするんですね。指標を様相化したときには、「現実の私」といったものが特別な実在性をもつ。実在一般の上に現実的実在が置かれる。他方、様相を指標化したときは、現実とはたんに自分がいるところになって、現実的なものも可能的なものも同等に、実在性の下に置かれる。でも、指標の様相化と様相の指標化が反復的に累進するならば、この上位争いに決着はつきません。たとえば、ルイスみたいな様相実在論をとった場合は、実在性一般のありがたみが減っちゃって、ここに自分がいるということがすごく特別になってくる。たんに実在であることよりも、〈この〉実在であることが重要になってくる。

永井　え？　ルイスの場合は、自分がいるということがありがたみをもつ？　それはなぜ？

青山　そうじゃないと、そもそも指標的であるということが理解できない。全ての可能世界が実在するのであり、現実なんてものはたまたま自分がいるところにすぎない、と言うわけですけど、その「すぎない」ということが、ものすごく重要になってくる。たまたま自分がいるということが、特別な実在性をもってくる。

永井　それはルイス的に、ですか？　どういうことですか？　ルイスとのつながりは。

青山　ルイスの言っていることを理解するときに、そうした累進が起こるのではないかと。

入不二　ちょっと確認したいんですけど、ルイス的には、実在はインフレを起こすわけですね。

青山　はい。

入不二　むしろ、実在性がルイス的な様相を使用する方向で行けば、ルイスはインフレーションを起こして、その逆をやると、そうじゃなくて、デフレーションというか、分からないけど、むしろ縮減される、という、そういう実在性の動きになる？

青山　その場合には「現実の私」や「現実の今」が特別な実在性をもつことになって、「私」一般や「今」一般の実在性が相対的に縮減されます。反対にルイスの場合は、インフレを起こしたことによって、実在ということの意味がすごくありがたくなくなるんですね。

入不二　当然そうでしょう。

青山　ただ、さきほど述べた意味で指標化と様相化が累進するなら、インフレーションとデフレーションも累進します。たとえば様相実在論では、青山はあっちの世界にもこっちの世界にもいる。で、あっちでは転んだが、こっちでは転んでいない。そのとき、「青山さん、気の毒ですね。だって、あっちの世界で痛いから」と言われても、こっちの青山は平気です。向こうの青山も実在して怪我をしているんだけど、そんなのどうでもよくなるんですね。実在ということの意味がすごくありがたくなって、指標的にこっちにいることの方がありがたみをもってくる。そうすると、こっちの青山が痛くないなら、あっちが実在しようが何だろうがどうでもよくなる。つまり、実在がインフレを起こして全ての可能性を覆い尽くした瞬間、「実在」という言葉も、ふだん使っている中身をもたなくなって、指標的中心であることが常識的な意味での「実在」に当たるようになる。こうして、いわばデフレが起こる。他の可能世界の僕が転んでも――それどころかこの世界の他者(可能的な「私」)が転んでも――、その痛みは実在しない(指標的中心としての「実在」性をもたない)ことになる。

永井　しかし、その可能世界の「僕」は痛いわけだから、同じことだっていうふうになるんじゃないですか？

青山　でも、現にこっちが現実だから、どうでもよくなる。

永井　その「現に」っていうのは、ルイス的にはどこからくるんですか？

青山　ルイス自身がどう言うかは分からないですが、様相の指標化をしているのならば、それは不可避にやってくると思います。「現に」自分がいる世界が「現実」だという場合には、自分がいるということの意味をどうしてか理解しているはずなので。

永井　いや、だから、自分がいるっていうのは、どの世界にも「自分」がいていいわけですね。そういう意味では、「現に」自分がいるということは出てこないんじゃない？

青山　構造からは出ないですね。ルイスの構造からは出ません。だけど、ルイスが言っていることを理解するときには出てくるのではないか。つまり、ルイスが「自分のいるところが現実だ」と書いているのを理解するとき、その文章を書いたルイスのいるところが現実だと理解するのではなく、それを理解した自分――ルイスの本を読んだ自分――が現にいるこの世界こそが現実なんだ、というふうに理解せざるをえないのではないか。

永井　そうなのかね？　「自分」というのは、だから、どこのどの世界にも「自分」がいる……。「自分」というものが。そして、それぞれの「自分」がいるところが「現実」なんで、「現実」というのはそういう意味しか持たない。「世界」というのは必ず「自分」がいるんですよ。「自分」というものが。そういう意味で、「世界」っていうのは、この議論で言うと、文字どおり指標化されて、他者とか過去や未来と同じになって、それぞれいわば主体がいるものとして想定できるようになる。そうすると、ここで、青山さんの最初のところで出てくる区別はいわばなくなる……、なくなる考え方ができると思うんですよ。

青山　その場合、「自分」という語の使用は、（トークン）反射的な使用のみに落ちる？　この本で言うと、二階以降の「私」の使用に落ちる……？

永井　まあそうですね。

青山　いや……、しかし本当にそうですか？

永井　いや、だから、ルイス的にはそうなんじゃない？

青山　うーん。これはルイスに聞くべきなんでしょうが（笑）、そうだとしたら本当は、意味が分からないと思うんですね。

永井　意味分かんないですよね。

青山　自分に跳ね返る——反射的に自分を指す——ということの意味は、少なくとも自分にとってての自分というものが特別なかたちで分かっていない限り、分からないと思いますね。

永井　うん。いや、私もそう思いますよ。もちろん。

青山　様相の指標化をしても、それが指標の様相化に戻ってこないと意味不明じゃないのか。

永井　うん。うん……。ただ、意味不明と考えない人もいるでしょう、それは。だって……、いるじゃないですか。

青山　あの……、こうなるんでしょうね。①～⑤には書かなかったことですが、そこまでくるとたぶん、言語だけあればOKなんですよ。さっき、〈これ〉と言語さえあれば世界ができるって言ったけど、（ルイス的に？）そこまで認めちゃうと、言語だけあれば世界があって、全ての意識も可能世界もあると、そういうところまでいくのではないか。言語があれば世界はつくれると。もう〈これ〉はいらないと。

永井　そうなんじゃないですか、ルイス的には。

青山　ルイスの目的はそうかもしれません。ただ本当に意味が分かるのか。

永井　いや、そういう考え方はありうるでしょう。哲学的には、十分。あと、可能世界ということを考えるときには、それぞれの世界にいわば主体のようなものがあるという想定が、ライプニッツ以来あるんじゃないの？　だからこそ、指標化しやすくできていて、「可能性」と「可能世界」って、ニュアンスの違いが最初からあるんですよね。「可能世界」というのは「世界」だから、その世界の住人みたいのがいるようなイメージが、想定上、可能世界意味論というよりは、古い可能世界論にあると私は思っていて、そこから可能世界意味論もニュアンスを引っ張って来てる気がするんだよね。そういう意味で、単なる可能性とは違う変なイメージが可能世界という像の中にあって、他者とか他時点とかに似てきちゃうんですよね。

青山　③とも関係するんですが、言語伝達の相手がいるかいないかで絞り込む場合、可能世界というものは言語伝達が本当はできないですけど、言語伝達をできる能力を持った人はいるわけですね。その世界の住人が。これがでかい……。

永井　でかいですね。そう、そう……。で、可能世界と会話できる、いわばしている、みたいな感じで考えるんですね。

青山　だから、まったく言語の使えない住人しかいなければ、ちょっと説得力というか理解力が落ちちゃう。ところで、異星人が意識をもっているか分かるか、という話がされていますが、異星人が「意識」に当たるような言葉を使っているかどうかが効いてくる場合があると言っている。あれと似た話だと思いますね。つまり、本当のこと——また素朴な言い方ですけど——を言ったら、言語を使えるかどうかなんて関係なくて、異星人に意識があるならば、ある。だけど、我々がそれを理解するときには、道筋として、彼らが言語を使えてくれるとありがたい。

永井　でも、それっていったい何があるんでしょう？　「何」と独立に「ある」が決まることはありえないので、その「何」が特殊な存在である〈私〉を離れては捉えられない「意識」の場合には、それがどこか他の場所に「ある」ためには、言語の特殊な力が不可欠で、それと独立に、実はあったり実はなかったり、なんてことはできない。というわけで、この本に関するかぎりは、言語さえあればいいのかという問いには、Ｙｅｓですね。まさにそうで、〈これ〉と言語から、いわば他者も過去も現在、可能世界はもちろんですけど、全部つくれるという議論になってますね。その場合、「言語」という言葉の意味自体が変わりますね。つまり、言語っていうのはそれこそが世界を初めて成立させるロゴスのもとみたいなものであって、人間という動物があらかじめ存在していて、ある時点で言語という特殊な道具を発明したっていうんじゃなくて、世界は始めから言語によって開かれて、現にあるとおりのものになっている、というような意味での、強い言語主義的な考え方をとることになるんですね。で、これは青山さんは嫌いでしょうけど（笑）、ある種の哲学固有の考え方ですね。ちょっと古い分析哲学とか、カント以来の超越論哲学なんかも、解釈の仕方によってはそういう種類の言語主義ですね。

青山　はい。嫌いというより腑に落ちない……、意図的にではないわけですが（笑）。

永井　これは素朴にそう思う人はあまりないと思います。ただその考えに魅力を感じる人はいる。素朴にそう思うか魅力を感じるかは違うじゃないですか、哲学で。つまり、素朴にそう感じることを言えば哲学になるわけじゃないから。むしろちょっとひねりたいんだけど、ひねったところで何か真実をつかんだ感じがするかどうかですね。ひねったところで真理をつかんだ感じが、これでする人としない人がいるっていうのは確かに分かる感じがして……。真実をむしろ取り逃がした感じがするという直観もありえますね。僕は、わりあい、もともとそういう言語主義的な考え方に関してはシンパシーを感じていたんです。カントの『純粋理性批判』とウィトゲンシュタインの『論理哲学論考』を結ぶ線に、ある種の共感というか、なるほど、本当にそうかもしれないな、という感じがやっぱりあります。本当にそうだ、とは言わないけど。これは、でも、感じなんですね。本当にそうだっていう感じがするかどうかというのはやっぱり大きいですよ。まあ、入不二さんほど自信もってはいないけど（笑）。入不二さんは言い方に自信があるのか……（笑）。

入不二　そういうふうにふられると言いづらいのですが（笑）、でも、この本の、私の印象は全然違うんですけど。むしろ印象は逆でしてね。言語主義的という言い方で永井さんは話しましたけど、むしろ、たとえば、「最上段」というのは、もちろん形式的には最上段すらもまたどこかに位置づけられて相対化されるという話にはなるけれども、絶対的な「最上段」っていうか、それこそ最上段に振りかぶった「最上段」っていう部分は、言語主義的ではないのではないか。あるいは、青山さんもここで引用していますけれど、「前言語的な〈これ〉」みたいな、「前言語的」っていう言い方がありますよね？もちろんこの前言語的というのも先ほどと同じで二つ意味があると思っているわけで、一つはマイナス内包に行くような話の前言語的みたいなことと、実はそっちはあまり重要ではなくて、無内包性の方の前言語的っていうのと、本当は両方入っていると思うんです。で、いずれにしても「前言語的」なので、言語主義的じゃない。そういう特徴が、むしろ読後感としては残るわけですね。それからもう一つの視点ということで言うならば、確かに先ほど示唆的だったのは、内容としての、普通の意識はみんな認めておいたうえで、その中の一つが特別なんだという話をこれまではしてきたけども、この本ではそもそもその意識っていうのがどういうふうに付与されるかというところに、話がむしろ逆になってる、と永井さんは言いました。それは確かにそうだなと思ったんです。それに付け加えて、これは永井さんに個人的に聞いたときには、たまたまだと言われましたが、今回、山括弧の私（〈私〉）の表記が実はないんですよね。で、むしろ〈これ〉とか〈この〉という方が前面に出てきていて、これは永井さんにとっては偶然なのかもしれませんけど、私は問題としては本質的だというふうに思っています。それは、先ほど言ったことですが、強い意味での現実性は、最終的には主観とか主体とか意識とかには関係がない、ということをよく表そうとすれば、〈私〉よりも〈これ〉〈この〉になるのではないか。そういう路線を歩むと私は思っているので、先ほど言った永井さん自身の印象と私の読後の印象が違うんですけど。

永井　いや、それはいいんですよ。要するにやっぱり二本立てなんですよ。青山さんが、否定的な意味で、前言語的な〈これ〉と言語さえあればいいことになっちゃうじゃないか、という疑問を出されましたが、そうだ、なっちゃうんだ、だって実際なってるじゃないか、と。二本立てだから、前言語的な〈これ〉は必要で、そして、それと言語によって、現実性がこの③のところにあるような言語的伝達によって絶えず言語の内部へ組み込まれ続けることで、一般的な「私」とか一般的な「今」というものが構成されていく、という図式になっている。この本はね。この本だけで終わる可能性はありますけどね、この方向の議論は。うまくいくかどうか分からないから。でも、どちらかというと、これでずっと行ってみたいという感じはしてるんですけど、それはまあ一種の投機というか、それでやってみよう、みたいな感じですから。そう思っているというよりは、これでやった方が面白い、自分をそっちの方向で納得させていきたい、みたいな。

発表用レジュメ再掲

質問④　非言語的な記憶の働きによって、現在と過去は現象的につながる。『意識』はこう論じることで、「私」の持続（その感覚）を説明する。それでは、過去との現象的紐帯に類比的な、他者との現象的紐帯はありうるか。記憶で過去を見るように、他我をそれ特有の仕方で（現在の私の経験とは完全に区別されたものとして）見ることができれば、それはありうるかもしれない。このとき興味深いのは、その特有の感覚が、持続の感覚――とりわけ「時間が流れている」という感覚――とどう異なるのかである。

質問⑤　『意識』では、心身問題を他我問題の内部に取り込んでいる。心身問題は因果的閉鎖性の前提のもとで初めて意味をもつと私は思うが、本書ではこの前提をどう扱うのか。因果的閉鎖性を重視しないためではないか。また、本書には心身問題が現れないのではないか。また、現象判断のパラドックスも因果的閉鎖性のもとでの意識の「言えなさ」（意識の因果的無効力）に関わるのだから、この「言えなさ」は、意識の累進的な「言えなさ」（意識の概念的無効力）とは別の問題――心身問題？――を生み出すのではないか。

永井　④について一言で言えば、他者に関して、それはありうると思いますね。ありうるというのは、たとえばこういうのはどうですか？　将来、脳から神経かなんかをつなげて、医者が患者の痛みはどういう痛みなのかを直接感じて、ああこの痛みね、この痛みならばこういう病気でしょう、というような診断をやるようになる、ということは可能じゃないですか。そのときだって、いやいやそもそも他人の痛みは分からないじゃないか、というふうには言えるけど、その際には哲学的懐疑論になるんじゃないですか？　哲学的懐疑論はそれとしてはもちろん正しくて、他人の感覚は感じられないわけですから、そいつが感じている感覚と医者が感じているのとが同じか違うかを確かめる方法は、やはりどこまでもないですけどね。ないけども、それを使って医療行為を行うことができるようになるという可能性はある。

青山　それは、過去を思い出す場合と同じ程度にある？

永井　同じ程度にある。同じというか、中身は違ってくるけど、程度としては同程度になりうる。それはありうることだと思います。で、現在はたまたまそれがない。

青山　はい、分かります。

永井　それと、最後の⑤はですね、因果的な無効力性を、入不二さんの言うような意味での現実性の無関係性みたいなものを源泉にして考えてみたいというのが、私の考えです。因果的無効力というのは、結局のところ、現実性が、何かそういうようなものが、世界から現に浮いちゃって在るわけですよね。「意識」というものは結局のところ現実性に由来しているわけですから、意識と物理的なものの無関係性というのは、結局のところは、現実性というものが他の内包と離れて在るということに由来する、というのが、少なくともこの本の公式見解になります。

青山　はい……、いや、しかし、そのことをなぜ、その口の筋肉を使って言えるのか？

永井　口の筋肉……、思っていることと口の筋肉の関係ですよね？

青山　そうですね。

永井　口の筋肉というのは、物理的なものだけど概念的なものですよね。違う？　ここは区別しますか？

青山　どういう意味で？

永井　「口の筋肉」という仕方で理解されている、物理学的な、あるいは生理学的なものですよね。

青山　はい。

永井　それと、現に今思っていることとの関係の問題ですね。そのとき、物理的なものというのは、結局、概念的なものになる。この議論の連関で言えば。物理「学」的なものと生理「学」的なもので、学が作り出している理解の仕組みということになると思います。

青山　物理世界が因果的に閉じているとは思っていない……？　思っていないというか、あまりそんなことは……。

永井　はい。あんまりそんなことは関係ないんですけど、ただ、因果的閉鎖性なんかが問題になる場合には、もっと素朴な意味でのフィジカルな、「物」っぽいものがあらかじめ在る、という発想とは違うことが問題になっていると思うので、それは概念的、理論的なものだろう、と。閉じているとしたならば、それが現実性と無関係だという意味で現実性に届かないということと同じことだろう、と思います。概念が現実性に届かないのと同じ意味で、物理学的なものが意識に影響を与えないということになりますね。

青山　いまの話は、物理的なものは「学」を通して構成されるということですか？

永井　そうです。だから物理的なものは物理学が構成しているもの……、物理学は概念的なものだから。

青山　だから物理的な因果的閉鎖性もいわば概念的、学問的……。

永井　学問的なもの。物理「学」が要請するもの。そういう考え方。まったくそのとおりです、それは。

青山　なるほど。

永井　そういう意味で、だから、フィジカルなものとメンタルなものの対立というのは、私の議論の中では根源的な対立ではない。だから心身問題はないんですね。心身問題もないし、因果性に固有の問題もないですね。因果性も、規則とかそういう概念的なものの一つであって、因果性が世界にスーパーヴィーンするかどうかとか、チャーマーズ自身が論じている、あの問題はあるけど、あの問題はでも因果に固有じゃなくて、規則とか意味とか言語とか、そういうものに関しても成り立つ、それと同じ種類の問題じゃないでしょうか。因果に固有の問題もないし、フィジカルなものとメンタルなものの対立も、根源的なものとしてはないから、当然のことながら、心身問題は、問題として派生的なものでしかなくなります。

全セクションについてのフロア討論

司会者　フロアの方からの質問をお聞きしたいと思います。どなたか？

——最後の⑤のところについて、青山さんに質問です。心身問題について青山さんは以前、この永井さんの本を読んだら心の哲学をやっている人は困惑するだろうと言っておられたのですが、困惑することはないんじゃないかと。永井さんの本に「問題ができあがった後で、どういう立場に立つかは、全然どうでもいいことだと思います。心身二元論だろうが物的一元論だろうが、適当に、好きなのを選べばいい」とありますが、これに対しての反論なんですか？

青山　反論というか……、その、どの立場に立つかというのは、僕にとってはどうでもよくはないです。

——⑤で言おうとしていたことは問題としてはそこに関係するんですか？

青山　そうです。特に僕は、自由意志の問題が本当に一番考えたいことなので——そのための準備を十年くらいしていますが——、自分の〈これ〉、〈これ〉と言ってしまいますけど、〈これ〉を通して世界を操作できるということがまったくの謎なんですね。可能性の話もちょっと出ましたけど、たくさんの諸可能性の中から自分の意識を通じて選択をしていくということが、意味が分からないというか、非常に謎です。私は心身問題も、そのつながりの中で考えていきます。ですから、もし〈これ〉が因果的に無効力だったら、やっぱり困っちゃうんですね。

——でも、それをもし言おうとしたならば、永井さんの議論をまず論駁してからじゃないと無理なんじゃないですか？

青山　論駁というよりも、その話で終わるところから始めるということでしょうか。

――そのときの〈これ〉というのは、まさに表現できない、累進構造の最上段にあるものですね？

青山　その論点が僕の中でどこまで生き残るのかはわからないですが、〈これ〉の候補をどうやって絞り込むかという話と、自分の意識あるいは意志でもって可能性を選ぶという話はくっついているはずです。くっついていざるをえないというか……。可能世界の発想自体が、可能な〈これ〉の候補を絞り込むということをやっていて、なぜか我々は言語を使って可能な世界の状態を絞り込む術をもっているわけですけど、自由な意志選択とは、その絞り込まれた諸可能世界の中のどれかを選ぶことだと言える。しかし、そもそもどうやって、その最初の選ぶべき素材――可能な選択肢――が提示されるのか。今日僕はパンを食べましたが、パンじゃなく、うどんを食べることも可能でした。でも、これはどういう意味なのか。うどんを食べることが可能だったという話は、いま突然降って湧いたんですが――言語だけでぽんと与えられたかのように――、でもそんなことを僕が勝手に決められはしない。ここでは何らかの絞り込みがなされているはずで、しかもそれは意志選択に特有の絞り込みであるはずです。……余計なことをしゃべりすぎましたが、ご質問にもう一度お答えしますと、心の哲学というものはこの本の議論が終わったところからでも可能だと思いますし、それは意味のある話だと思います。

――分かりました。

司会者　他にどなたか？

――入不二さんの無内包性の議論では、現実性というのが一番重要な概念で、それは無内包性とイコールになっている気がします。そしてこの現実性というのは、永井さんの本で言うと〈今〉性とか〈私〉性とイコールになっている。ただ、この無内包性については、たとえば〈今〉性だけでなく〈十分後〉性とかも、無内包性に入る場合があると思うんですね。〈十分後〉性というものに関して言うと、いやいやそれは〈今〉性というものがあって初めて〈十分後〉性が成立するんだというふうにすぐ思ってしまうんですが、入不二さんがここでお話しされているのは言語以前の〈今〉性の話だと思われるので、そうなると〈十分後〉性というのは、無内包性の一つとしてあるんじゃないかなと。無内包性と〈今〉性というのはイコールじゃなくて、ノットイコールというふうにちょっと思ってしまったんですが。

入不二　現実性、無内包性が、永井さん的な〈今〉性、〈私〉性とつながっているというのは、もちろんそういう書き方を私もしているし、その通りなんですけど、そこを正確に言い直すと、無内包の現実性は、必ずしも〈私〉〈今〉とイコールではない。〈私〉〈今〉とのつながりは、先ほど言った「方便」「通路」ということになります。どうしてかというと、〈今〉性とか〈私〉性とかと言おうとしたときに出てくる、むしろその〈　〉の中の「今」とか「私」の方ではなくて、「この今」とか「この私」とかいうときの〈この〉の方がポイントで、そこに現実性が表れているからです。もちろん、何につくときに、〈この〉は現実性を表すと理解しやすいのか、という問題はあります。しかし、実際その問題はあるにしても、ついてくる「今」とか「私」ではなくて、〈この〉の方が現実性なんだっていうのが、ポイントです。ですから、現実性と〈今〉性とか〈私〉性って完全に同じかというと、正確には同じではなくて、「方便」上、つまり強い現実性をあぶり出すための通路として、同じように扱っているし、むしろ扱った方がある場合においては伝わりやすいということもあるわけです。けれども、現実性というのは、「今」とか「私」という内包のある部分ではなくて、そこにつけられるべき〈この〉が表している部分のみを取り出そうとして、それを現実性というふうに言っています。で、そういう現実性と無内包性と同じかと言われれば、そこは同じです。「今」や「私」ではなく、「この」だけが無内包なのです。「この今」「この私」は、中間的なのだと言ってもいい。「この私」の「私」のところに、意識だとか心だとか、さまざまな内包が入ってくるでしょうから、完全な無内包にはならない。そういうことだと思います。

――言語のレベルに落としているから、そうなるのではないですか。

入不二　その「言語のレベルに落としている」というのはどういうことですか？

――十分後というのは当然「今」から相対的にしか言わないものですが、それは「十分後」という言葉の定義からそうなるんで……。

入不二　そうすると、〈この〉の後に「今」がつくならば、〈この〉十分後と言えるのかということでしょうか？　そうだとすると、先ほど青山さんが言っていた、後ろに何が来るのがよくて、何が来るのがまずいのかという、そういう問題になるとは思います。あるいは、複数の中から選択するような場面を考えるという問題にはなると思います。でもそれは、現実性は無内包だっていうこと、つまり後ろに来るものとは無関係に現実性のみを指定する「この」という場面の問題ではなくなると思います。

――もう、属性がついちゃう？

入不二　ええ、そうでしょう。

司会者　まだ、他にも。

――上野さんにお聞きしたいんですが、ラカンを手がかりにしたということの解釈は、永井さんのおっしゃっていることと同じなのか、ちょっと違うのか？　ずれているとすればどういうふうにずれているのかを教えてください。永井さんの場合には開闢の隠蔽という構造に関して、隠蔽されざる開闢というものを想定していて、しかしそれが隠蔽もされるという話だと思うのですが、上野さんの話では最初から隠蔽がある。では、隠蔽構造抜きの開闢はないのか？　そこの関係はどうなっているのか？

上野　きっとラカンが考えてるのは二段階あって、最初はやっぱり掛値なしというか、まっさらな真理信憑がまず開闢としてあると思うんですよね。で、そのときに、「じゃあそれ何なの」というのが次に来ますよね。第二段階ですね。そのときに隠蔽が始まると。隠蔽と言うと言葉が悪いですけど、その最初のラカンの真理というのは語りえないものだから、当然隠喩化するしかないわけで……。

——そうすると、隠蔽以前の開闢というのはどんなものになりますか？

上野　隠蔽以前の開闢ですか？　うーんと、それは最初の遭遇の場面を考えて……。

——遭遇？

上野　ええ。言語との遭遇の場面。つまり、なんか僕のこと言ってるだろうという、先取りです。何を言っていようが。

——それは他者の言語ですね。

上野　他者の言語です。

——それは永井さんの開闢と重なるのかなあと……。

上野　それは私は重なると思って言ってるから、重なってないというのは永井さんが言ってくれないと。

永井　いやいや、もちろん重なってないですけど（笑）。要するに、隠蔽を合わせて起こす仕組みをあらかじめ想定するような仕方で重ねてるんですよね。つまり、その、なんというかな、話がうまくできすぎているというか（笑）、うまく説明した図式なんですよね。上野さんというか、ラカンのは。僕のやつはそうじゃなくて、別にうまく説明はできないけど実際にはこうなってるじゃないですか、という話だから、そんなにこう、うまい話がつくられなくても仕方がないんですよ。事実こうじゃないかと言ってるだけなんですけど、上野さんがやるような話というのは、それらがうまく説明できるような種類の開闢が始めから想定されてるんですね。だから、最初から言語なんですよね、開闢が。でも、僕のだったら別に言語じゃないです、開闢は。ただ存在がどんとあればいいんで。

上野　どんとあればいいんでしょうけど……。さっき青山さんの話で他者の問題が出てきましたよね。他我の問題。永井さんにとっては他者の存在というのはよく分からないですよね？必ずしも必然的に存在するとは思えないものですけどね。

永井　はい。

上野　だけど、それは僕の感じにはぴったりこなくて、私があるということと他者があるということは、それは込みであるから、現に私というのはいろんなことを言える気がする。その意味では、他者……、他者といっても目の前にこういったかたちであるんじゃなくて、そもそも私が何か言ったり思考したりしてるときに、すでに相手にしてるというか、込みになってしまっている他者というのは必然的に存在するだろうというぐあいに思っていたわけです。で、それはまあ、さっきおっしゃったように、確かにラカンは説明するのは理論だと考えているから、当然説明なのですが、その前に、なぜ言語なのか。隠蔽なんて言うけど言語がなかったら絶対隠蔽なんてありえないんだから、なぜ言語なのか。なぜ私というのが現実指標になってるのか。そこはやっぱり同じ問題のように思えるのですが……。

永井　いや、だから、上野さんの話はね、そこから始まってる話なんですね。次の隠蔽とか、そっちの方を重視する話ですね。でもね、開闢だけを本当に考えるんだったらば、ただそっと始まって、何もなくたっていいわけです。何もなくて言語もない。ただ世界があって……。厳密に〈私〉しかいない、ということを考えてもいい。これって青山さんの②と③の対比に関係するんだけど、たとえば他者がいないで言語だけあるという、ちょっと変な不自然な想定だけど、そうすると③がないんですね。話し相手がいない。奇妙な想定だけど、私がいて言語だけあるとすると、他者という想定が可能世界ときわめて似てくる。なぜかというと他の人間というものは存在しないから、存在しないんだけど向こう側から開けている私のような在り方をした別の物体、別の身体をこちらから想定することはできる。世界には物しかないんだけど、私のような種類のしかし私でない物が存在することが可能だ、というように、私が天恵のように与えられた言語の中からだけ考えることができる。で、そういうふうに考える場合には、青山さんの②と③でいうと、③じゃなくて②の方になるわけだけど、つまり、言語伝達はできないんだけど、それでも言語の内部から、ただもっぱら言語の力によって、他の〈これ〉みたいなものが考えられる、と。こういう道筋もありうる。というか、なければならないとは思います。

司会者　とはいえ、上野さんが発表の中で引用されたように「端的な私が世界に登場したとき、同時に端的でない私も世界に登場せざるをえない」（『私・今・そして神』、p.148f.）と、永井さんは確かに考えてもいるわけですよね。これはとても重要なテーゼであるように思われますが、ここで「同時に登場せざるをえない」と言われているのは、やっぱり、上野さんが問題にしようとしている「隠蔽」の文脈を示唆しているのではないですか。「端的な私」は、あくまで「端的でない私」としての他者とセットになって自己隠蔽的にしか登場しない、とでも言うか……。また、そういう「端的でない私」と常にセットになっているという意味での、他者との同時性においてこそ、「端的な私」の方もまた、自分を他ならぬ「私」として捉える根拠を受け取る……、とか何とか、そんなふうには考えられないんでしょうか。

永井　そうですね。今言った意味だったら、他者がいないから、特に「私」と言う意味はない。ただ、世界には他に物があるわけです。それと区別する意味で「私」と言うんだったら、やはり私がいて、私というのはこいつらと違って、この手は動かせますよね、感覚もあるし。で、この木は動かせないし痛みも感じない。木の場所では痛みを感じないという意味で。そうやって区別したらば、こういうように感じて、こうやって動かせるようなものが、向うにもう一人いたらどうか、と。もう一人いるということを、私が、その思考内容を内容として相手と共有できない状況で、考えるわけです。実際に他の人間が実在するということとは別に、このようなしかたで反転させて可能性を考えることができるということが重要な要素なのではないか、と思うわけです。

司会者　でも、そこに、さっき話題になった言語習得の場面での逆襲可能性の話を重ねてみたら、どうでしょうか。私は親から「You」と呼びかけられ、その際の「I」とは、こちらに呼びかけ語りかけてくる他者＝親自身のことなんだけど、ところが、その他者の自称詞を奪い取って、（お前に「You」として呼びかけられている）こっちの方こそがむしろ「I」なんだと反撃する、という、そういったような話だったと思いますが……。そういう話を面白いと思いながら、私などはつい、〃まさにそうした逆襲劇の地平が開かれた次元においてこそ、〈私〉の問題というのは生まれてくるのではないか〃という筋のことを考えたくなるんです。逆襲可能性の開かれてない単なる「他の物」たちからなる世界だったら、〈これ〉とか〈この〉の問題は成立しても、それは〈私〉の問題にはならないんじゃないか、というか……。

永井　あれは実際問題ですね。実際のところはそういうふうになっていて、さっき言った、私一人しかいなくて言語で作り出すという話は、想定上の問題で。いわば一神教の神が自ら他の神を想定してみるような。一神教の神なのに他の神がいたらおかしい（笑）。でも、ある意味で、もし神が「神」という概念を持ったなら、「他の神」は可能じゃないですか。自分を「神」と規定したならば。もちろん、その際は「世界」の方も何らかの仕方で複数化せざるをえないでしょうけど。他者というのは、そういうものが現に存在していることにあたりますね。

司会者　実は私には、今ちょっと言われた「実際問題」と「想定上の問題」との区別というのが、本当は、少し疑わしくも思われるんです。思い切って強い言い方をするとすれば、「単なる想定上の問題」というものは実は存在せず、むしろ「実際問題」に規定された仕方でしか、本来の〈私〉問題は発想されない（発想され得ない）んじゃないだろうか、という、素朴かもしれませんが、そういう疑いです。今の話題に関して言えば、そもそも「こちらからの逆襲に値する強さをもった者」として現に出会われてくるのが「他者」であるわけで、そういう「他者」との現実的出会いなしには〈私〉が〈私〉として〈私〉自身に理解されることもない。他方「神」としての自分の概念から単に想定可能であるだけの「他の神」とかだったら、別にそんなもの、ある意味では放っておいてもかまわないもので、こちらからの逆襲に値する強さをもつことはないんじゃないでしょうか。変な言い方ですが、そういう、逆襲に値するか否かの違いは、大きくはないですか。

永井　逆襲に「値する」……？

司会者　あるいは、逆襲「したくなってしまう」……とでも言いますか。

永井　逆襲「せざるをえない」。それは内容の問題ですね。こちらの真理と向こうの真理は違って、向こうが偽だということを言うために言語はあるから、それを行使できなかったら意味がないから、逆襲するために言うわけですね。で、初めから逆襲可能性を教えてくれるわけですね、親は。

司会者　それで、その逆襲可能性の教育あるいは学習の次元の有無が、永井さん流の山括弧のなかにどんな概念が入って問題が立ち上がるか、つまり、発想されるのが〈私〉の問題であるのか、〈私〉未満の〈これ〉や〈この〉の問題どまりであるか、という違いを分けている、というような気がするんですが、どうでしょう。見当違いですかね。

永井　うん、いや、どうなんですか。〈この〉の話の中にも逆襲の可能性があるんだというのが上野さんのお考えのような。むしろ、そうじゃなくて、〈この〉はもっと浮いているんだというのが入不二さん的なんですね。ここは対立があると思うんですよ、根本的に。つまり、〈この〉性とか現実性というのが逆襲構造に入ってこない、まったく無関係なものなのか、それとも、そういうものに組み込まれうるような実質内容があるのか、という問題がある。私の考えは中間的で、なんらかの関係性がなければ、さっき青山さんに答えて言ったような、意識というものを、いわば現実とか〈この〉性の方から逆に、他者の意識まで含めて、全部つくり出して行くみたいな仕組みというのは不可能ですね。現実がただあるだけだったら。ただあるだけだったら、私は私だと。これが私で、他の人は私じゃない、現実の、まったく特別な私がここにいるというだけで、事実そうなっていて、それでおしまい、と。そうなっている、なんだか分からないけどそうなっている、ということで終わる。それはなぜか、っていう形で問題を立てられるとは思いますけど、それと他者の意識とか他我とか、そういう問題とを関連づける、関連づけて考えていくというときには、現実性とか無内包性というものが、一般的な意識なり自我なり、あるいは現在なりと、不可分につながっているような、何らかのつながりがあるんじゃないか。で、なんでそれがあるか？

司会者　それはなんで……？

永井　いやいや、それは分かったら……、すばらしい（笑）。いや、それは何なんだということは、難しいですね、本当はね。いや、本当に難しくないですか？　だって、意識というふうに言ったって、私の意識しか知らないわけだから、意識というのはそもそも〈これ〉のことだ、ということとしか言えないわけですね、一方では。他の人に意識がないかもといった懐疑論を立てているわけじゃなくて、別にそこを懐疑する必要は全然ないんですが。それなのに他方では「意識」概念というのは一般に通用しているということがあるわけで。そう考えたら、源泉が二つあるっていう、青山さんは気に入らないかもしれないけど、ここに現にあるやつと言語的に「意識」と言われているやつっていう二種類を考えるというのが、わりあい素直な道筋なんですね、私にとっては。

でも、そうだね、ちょっと自己批判的に言ってみると、それだったら他者が本当はいなくてもそれができる。いない場合にも、文字通りの意味での可能な他者、可能な意識というものを考えることができて、それは私が、さっき言ったようなやり方で強引に言語を使って作るんです。こういう言語を発話する主体であって、私のようにいわば自由意志があって、痛かったり悲しかったり考えたりする、……というようなものがもう一つ、もう二つあったらどうか、と。これはすごい天才的な発想ですよね。でも、もしかしたらちっとも天才的じゃなくて、あたりまえなのかもしれない。我々がいま考えているような意味での思考の仕組みのようなものがただいきなり与えられたならば、それは必ず考えられる、とも言えますね。そうすると、現にいる私に似た他人というのは、むしろそっちの方が謎として残っちゃう。現にいるやつは余計なものだと（笑）。そういう意味では余計なものでもあるといわざるをえない。つまり、私が想定している他者とうまく重なっているだけで。しかし向こうの方も同じ事象内容を逆に重ねてくるから、つまり、他者の方からも重ねてこられる仕組みになっているので、実際には③の意味で言語的にうまく働いて、うまくやれる……。

入不二　無内包の現実については、「私は私で、他の人は私ではなく、まったく特別な私がいる」という事実で終るのではなくて、さらにそこから「私」や「他の人」等の区別も抜き去られて、「ただ現にある」というだけの事実へと、つまり「私」とは無関係な事実へと、行き着かなければならないと思う。しかし、私もですね、現実は無内包だということを今日は強調しましたけど、それだけを現実の全側面だとは思っていません。先ほど言った「この」の後ろにつながる部分、内容がある部分を含めて「現実」と言っているというのは、もちろん、事実そうなわけです。内容が入っている現実の方は、さっきは「認識論的」という言い方で、存在論的な現実と「込み」という形で認めましたけど、それをふまえた上でなんですけどね。今日、無内包だということで強調した現実とか現実性というのと、いま話に出た自由意志っていう問題は非常に相性が悪いんだと思います。というのは、無内包なところに焦点を絞った意味での現実ほど受動的なものはないわけですから。自由意志だろうが何だろうが、どうしようもないのがむしろこの意味での現実なわけです。ですから、「この」という現実性には、私とか意識とか主観とかっていうのは最終的には関係ないということの一つの意味は、これほど受動的なものはない、これほどまったくどうしようもないものはない、っていうのが現実の現実性だというこ となのです。そういう意味では、主観とか自由意志とかっていうのは、現実の現実性、あるいは「現に」ということの「仕方の無さ」からは、退場するしかないというふうに思っているわけです。

青山　④と⑤は自由意志の問題と深く関わります。自由な意志の働きを、未来の可能性のチョイスだと考えてみる。可能な未来のうちのどれを現実の「今」にするのかというチョイスですね。樹系図のように未来の枝を想定するなら、現実の「今」が、それらの枝のどれかを選んでいくわけです。ここで、様相実在論みたいに全部の枝が実在するとしても、やっぱりチョイスがなされます。指標的中心がどちらに進むかについて、枝を選んでいるはずだからです（これには反論があるでしょうが）。で、その現実性あるいは中心性を、いまの文脈では「無内包性」と言ってもよいと思いますけど、ここには二つ問題がある。まず、本当に不純物のない無内包性に関しては、チョイスなんてできない。入不二さんがいま言われた意味において、です。もう一つ問題があって、それは④に関係します。もし本当に現実性だけが時間軸を移行していくんだったら、持続していることが分かるはずがない。無内包性や現実性が持続することはないのであって、持続していると言えるのは全部不純物なんですね。想起に類比的な独特の仕方で他人の意識が見えるようになったら、他人と自分との間に現象的なつながりができます。「直接的紐帯」という表現がこの本にあったと思いますが、そうした紐帯ができます。ところで、ここで不満なのは、紐帯は持続ではないということです。つまり、過去の自分に関しても、他人の意識が覗けるように、その意識が覗けるというだけなんですね。何が足りないかというと、過去の自分が今の自分に「なった」ということが足りない。現実性あるいは無内包性が、時間軸上を移行したということが足りない。しかし自由な意志選択には、それが要求されるはずです。可能な未来のうち、どれかを現実にしていきたいわけです。だから、現実性そのものが時間的に受け渡されてほしいんですが、たぶんそのことは言えない……。例の累進によって言えないだけでなく、もっと積極的に言えない。というのも、現実というものを無内包化してしまったら、中身がないことによって端的に言えないからです。持続ということの意味がなくなる。持続していると言えるのは全部、記憶などに劣化した現象だけ。永井さんもおそらくこの洞察をふまえて、持続の「感覚」としか書いておらず、〈私〉が本当に持続するというふうには書かない。山括弧性が持続することは、山括弧の議論の本質からいって不可能なんじゃないか。

入不二　まさにその二つの問題なんですね。前者ですが、青山さんの言うとおり、選択はできないと思います。無内包の現実に対しては、選択とか自由意志はまったく無効力になってしまうというのはその通りだと思う。それから二番目の方に関してなんですけど、それも半分その通りだと思うんですね。持続するものじゃないだろうと。それはその通りなんですけど、さらにもう半分があって、無内包な現実ならば、無内包なんだから、もちろん持続しないけど、違いが生じることもないですね。だから同じっていう仕方で（同一性を保持して）持続はもちろんしないですけど、かといって違うものになるわけでもないということが、無内包ということの中に、もう半面として入ってるだろうと思います。つまり、無内包の現実が「持続しない」というのは、「変化する」ということではなくて、「持続する」も「途絶える」もともに意味を持たないということだと思います。

青山　入不二さんの発表の最後に出てきたことですけど、要するに私秘性（今秘性）がなくなっちゃうんですね、無内包になると。だから無内包の現実については、「持続する／しない」ということを言える余地が、いわば持続についての言語ゲームが成立する余地がない。とはいえ、自由意志に関してはどうなるのかということが僕は気がかりで、嫌な感じが残ります。

入不二　いや、それは現にそうなっているとしか言えない。

青山　理詰めで考えるなら、自由意志は錯覚だということも十分ありうるんですね。自由意志の働きが現実性の受け渡しを含んでいるならば、現実性の受け渡しなど意味不明だという点において、自由意志は意味不明だということはありうるでしょうね。

上野　自由意志が問題になってくるときに、現実を選ぶんですかね？　自由意志は。だけど、青山さんの自由意志が現実を選んで、僕も選ぶでしょ？　そうなってみんなが勝手に、一つの、唯一の現実を選べるんですかね？

青山　そうした問題について一つひとつ考えていくと――今日のテーマからは脱線しますが――、可能性はないというところに行き着くのではないかと思います。

上野　私もそう思います。

永井　……二人で何を同意したのか分からない（笑）。何を賛成しあったのか？

上野　だから、現実を私が選ぶんだということと、かつ、その現実を、もちろん他者をどう考えるかということがありますけど、他者も自由意志で選ぶのだということを認めちゃうと、私の一存で全部決まらないですよね。

永井　でも私に関することは決められる。これを飲むかあれを飲むかってことなんかは。向こうは向こうで勝手にやるでしょ。そして全体として現実が決まるだけだから、別に問題はないんじゃないでしょうか？

上野　それは私が身体能力でどこまで操作できるかっていう範囲の話？

永井　ええ。だってそれは、全現実を決められる人はいない。当たり前だけど。でも、現実の一部を自分の自由意志で決められるというのが自由意志ですね。何を現実化するか。これを飲むこともあれを飲むことも可能なんだけど、そのうちの一つに私が決められて、別のことに関してはそれぞれの人が決める、というかたちで現実が決められる、……というのが自由意志ですよね？

上野 そうです。だけど諸々の可能世界から私が選ぶんだというときに、可能世界というのは、これは「世界」ですよね。だから、私がうどんを食う世界とカレーを食う世界のどっちかを選ぶんだというときに、選んじゃったら、それは世界が選ばれてるわけですよね。その場合はどうなるのでしょう……？

永井 いや、それはいいんじゃないですか？それは、無数の世界の中で、上野さんがうどんを食べている世界とカレーを食べている世界を、その点に関してピックアップしてくれればいいので。世界の数はものすごく増えるけど別にかまわない……。

上野 その世界の数が増えるのは……。

永井 世界は勝手に増やしておいて、自分は自分の可能性だけ考えればいいわけで、自分がいろんなことをする可能性っていうのはあって、その可能性の一つを選択するわけですね。

上野 自分の考えてる可能性ですね。……いいのかな？ たとえばルイスみたいに、いや可能世界というのは本当に世界としてこの世界と同じようにあるんだっていう話をしたときに、どうなっていくのか……。それがちょっとよく分からないんですよね……。

永井 いや、だから、問題はですね、そういうことによって、今ここで問題になっているような強い意味での現実性が、時間的に持続できるかという問題ですね。で、それができるということが自由意志の存在にとって構成要件になっている、……ということ自体は、そうなんですか?

青山　私はそう考えています。

永井　だから、結論として、それゆえ自由意志はない?

青山　いや、結論は一番最後で……、結論が分からないから考えているのですが……、理屈の上で考えるなら、一番それがすっきりしますね。今のところは。

永井　いや、むしろ、それはそうすると整合的だと思いますけど、なんで現実性の選択ができるように感じざるをえないのかということが問題で、自由意志は「本当は」なくてもかまわないところがあって、「本当は」あるかないかよりも、自由意志があるように感じざるをえない、そのことの本質は何かということが重要じゃないですか。

青山　そうですね。

永井　これも一種の、さっきのデカルト的問題で、「私は自由な者だ」という神、あるいは親に抗して、自由なのは僕だよ、って逆襲できなければならない。そういう仕方で、自由を前提せざるをえないところがある。この問題と現実性の問題とがどう関わっているか、ということは重要でありかつ興味深いことですから、まあこれから……(笑)。

青山　おそらくその、感覚の解明が重要だということなんですけど、この感覚は、さっきの比喩で言えば、言語が見せる夢です。とはいえ、これは覚められない夢なので、夢ではない。持続感も自由感もどっちも感覚にすぎないんだけど、その感覚をもたないことができないような感覚だから、そこで別種のリアリティを構成しちゃうんですね。ある意味、もう事実だと言ってもいい。この言語から出られない以上は、それは事実になっちゃう。

永井　それは言語って言っちゃっていいの?それは言語って言っちゃったら、そんな強力な……。

青山　どんどん脱線してしまうと、論理的可能性というものが私にはよく分からない。論理的可能性って、ほとんど言語のパワーとイコールなものとして扱われますが、私には意味がよく分からない。言語で言えるということが、なんで可能ということに対応するのか？　言語で言えるということは、表象の可能性、写像の可能性にすぎないのであって、それを世界の可能性に等値するのは、単純に嘘ではないか。だから言語だけじゃないと思いますね。可能性を開くものは。

永井　それはそうでしょう。この世界における本当の可能性は。論理的可能性というのは、いわば可能性という概念を、哲学者がある特殊なものごとを考える方策として、抽象化して作ったものだと思います。だから、本来の意味での可能性というものから見ると、ものすごく広い、というか狭いというか分からないですけど、わざわざ作り出したものだから、これを本来の可能性一般の話と混同すると変なことになるのは明らかだと思います。むしろいろんな種類の可能性を語るための言葉が少ないんだろうな。「可能性」という一つの概念にいろんなものを込めすぎなんであって、別の言葉があるべきなんだと思います。

話が全然逸れて（笑）、こっちで勝手にしゃべっているけど、何か質問を受けないと。そういうコーナーじゃないの？（笑）

――二点確認させてください。人称代名詞の私に還元されないようなかたちでつねに残る、かけがえのない私みたいなものが当初「山括弧の私」と言われていたと思うんですが、今日の入不二さんのまとめだと、山括弧の私はクオリアをもたない。「かけがえのなさ」の感じというのは僕はクオリアかと思っていたんですが、では、山括弧の私はクオリアをもたない、という理解でよいのでしょうか。そして、それは結局、無内包としての世界の与えられ方なのでしょうか。もう一点、以前別の場所で、いわゆる独我論をどうして否定するのかとお聞きしたときに、独我論は文法的に不可能だといったお答えをされたのですが、今日のシンポジウムでは、独我論も可能かもしれないという発言をされたと思います。これは、以前の見解を修正されたということでしょうか。

永井　はい。二番目の方は簡単じゃないかと思いますけど、要するに、文法的に不可能というのは、文法に反すれば可能だということですから、文法に反することはできると思います。哲学は概して、文法に反しているわけですから。

——文法に反したら言語が不可能になるんじゃないですか？

永井　いやいや、そうじゃなくて、たとえばですね。言語の中でも文法に反して意味を伝えることができるじゃないですか。普通の意味で。非文法的な文を使って伝達するとかね。それと類比的な話で、哲学的な議論というのは、通常の、日常の言語ゲームと違うことをやるわけですね。だから、言語がお祭りをするとか、言語が休日で休んでいるとかいうふうにウィトゲンシュタインは言ってますけど、それは哲学に対する一種の悪口で、そういうときの言語の使用法というのは本当の言語の使用法じゃないって言っていいんだけど、しかしお休みも大事じゃないですか。お休みとかお祭りもね。お祭りしなきゃつまらないじゃない（笑）。そういう意味では、どういうお祭りを祭るかというのは大事ですよね。人間地道に働いたらいいってものじゃないでしょ？（笑）地道に労働する言語も大事だけど、そんなことばっかりやってたって、つまらないだけじゃなくて、本質に反するところもある。やっぱり遊ばないと。そういう意味で文法に反するということと、文法に反しても言いたいことがあってかまわない。言語というものの本質的な存在理由から言って、何かを見えなくさせる力という側面が必ずあるはずですから。それを休みの日に言ってみる、言語を使ってね。文法に反して言ってみるという仕事は哲学のある種のつとめですから、独我論を主張するということは、文法に反しているから言えない、ということにはならないと思います。

それと最初の方は、山括弧の私はクオリアを持たないというのは、むしろ入不二さんの考えですね。もちろん、そうも言えます。山括弧は単なる現実性だけを表示するので、クオリアなんて、そんな実質内容とは無縁だ、と。しかし私はむしろ逆に、クオリアだけしか持たないんだ、と言ってもかまわないと思って、それを「ビンゾ（敏三）」と呼んで、その「ビンゾ」概念の揺らぎの方を考えてみたわけです。そうすると、もちろん逆に、山括弧の私だけがクオリアを持つ、ともいえるわけです。しかし、それにもかかわらず、「クオリア」という概念は、各人がそれぞれそれを持つという仕方で割り振られていったときに完成し、成立するわけですから、その段階で考えれば、やはり「山括弧の私はクオリアを持たない」とも言えることになります。山括弧の表す現実性は何であれそういう一般的な概念で規定できる事柄とは無関係なのですから、それは当然のことです。ということはつまり、どの水準で理解するかによって、「クオリア」概念は本質的に揺らぎを内包していることになりますね。

▶ 第Ⅳ部

あとから考えたこと

1

聖家族

――ゾンビ一家の神学的構成

永井均

1　ゾンビとビンゾの対比を考える

シンポジウムで語ったように、入不二氏の「第4のゾンビ」にあたるものを、私はむしろ「ゾンビ」とは正反対という意味で「ビンゾ」と、あるいはそれが訛って「敏三」と呼んでいた（この「敏三」という呼び名の方もすぐ後に深い意味を持って復活する）。

ゾンビとは、身体は外見上も生理学的にも人間そっくりの在り方で立派に存在しているが、実は中身（つまり意識）が存在しない、完全にフィジカルな存在者のことであるから、その逆のビンゾとは、中身（つまり意識）は立派に存在しているが、外側のフィジカルな身体が存在しない、完全にメンタルな（フェノメナルな）存在者のことである。「外側のフィジカルな身体」には、もちろん、脳を含む臓器等々の皮膚の内側の機構も含まれる。それらがないのである。

さて私は、現に今、そして全人生を通じて、本当はビンゾであったとしよう。そうだとしても何も変わらないだろう。客観的世界とその内部にある個々のもの（他人や私自身の身体を含めて）は、それがフィジカルに存在する場合と同様に私に知覚され、だから当然他人は私に話しかけてきたりもする。見えないはずの私に話しかけてくるところをみると、他人たちはたぶん私の意識の内部の存在者にすぎないのであろうが、それを検証する手段は私にはない。[1] それらは、フィジカルに存在していようとしていまいと、私に見えるままに見え、私に感じられるままに感じられるしかないのだから、何も変わるはずはない。

私が現に今ビンゾであるとは、客観的世界の内部に浮いている、他人たち（私から見える他人たち）からは見えない、霊魂のようなあり方をしている、という意味ではありえない。もしそうなら、そうだとすぐに気づくであろうから。そうではなく、その客観的世界の全体が私の意識の内部にしかない、という意味なのである。だとすると、私は現にいま本当はビンゾなのかもしれない。そうであるかないか、私に確かめる手段は原理的にない。他人に聞いてみても、もちろん見えて触れると答えて、触ってみせてくれるであろうから。

では、他人がビンゾであったら？　だが、しかし、こんどはそもそも他人がビンゾであるということの意味が分からない。少なくとも私に見えていて、私が話しかけたりしている他人は、そのことによってもはやビンゾではありえないだろう。ビンゾなら私に見えないし、話しもできないはずだから。しかし、私が知らないビンゾがどこかに存在するということなら、何の問題もないだろう。すると、私にはその人が見えず、もちろん触ることも話すこともできない。つまりは、存在しないのと同じだろう。

逆に考えると、他人はゾンビではありうる、ということになるだろう。もしゾンビだったとしても私にとっては何も変わらない、という意味で。すると、ビンゾではありえず、ゾンビではありうる（zombible）もの、それが他人である、とそのように、「他人」を定義してもよいかもしれない。

私にかんしては、この逆が成り立つだろう。ゾンビではありえずビンゾではありうる（binzoble）もの、それが私である、とそのように「私」を定義してもよいかもしれない。私は、現に今ビンゾであったとしても何も変わらないのだから、ビンゾではありうる。しかし私は、現に今ゾンビであったとしたら私としては存在できないのだから、ゾンビであることはできない。そういう在り方をしているものが、すなわち私である。

おそらくは以上の道筋が、唯心論と独我論が強い親和性を持つ理由であろう。とはいえ、私がゾンビであることも。他人がビンゾであることも、ともにありうることではある。

私は、少なくとも「現に今」でなければ、ゾンビであることは容易である。私はこれまでずっとゾンビだったが、現に今、急に覚醒してこれまでの記憶をいきなり持った、ということはじゅうぶんにありうることである。このとき、次の一歩が決定的な問いとなる。もしそれがありうるなら、他の時点の私から見て「現に今」の私がゾンビであることもじゅうぶんにありうることなのか。同様に、他者から見て「現に今」の私がゾンビであることも可能な事態ではあるのか。いや、それはありえない、ゾンビであるか否かの判定にはその種の他者からの視点は介入の余地がないのだ、と「現に今」の私が確信を持ってこの問いに否定的に答えるとき、シンポジウムでさかんに話題になった「現実性」がその根拠になっている。しかし、もしそれを根拠にして客観的な（他者や異時点の私に対しても通用するような）主張がなされうるなら、むしろこの問いに肯定的に答える道筋も開かれている、ことにはならないだろうか。

他人がビンゾであることの方はどうか。私のあずかり知らぬことではあるが、ビンゾであるような他人がどこかに存在していたとしても、べつに何の問題もないだろう。では、そういう人がどこかに存在し、しかもその人の世界の中にこの私が存在しているという可能性は考えられるだろうか。もちろん、この私が存在しているといっても、それは永井均という人物が存在している、という意味でしかありえないが。その人の世界の中で、その永井という人物はもちろんゾンビでありうるあり方をしているることだろう。

だとすると、この二つの想定は重ねることが可能になる。つまり、私に見えている他人たちが、私のあずかり知らぬことながら、実はそれぞれみんな「ビンゾ」でもあることができ、それぞれの世界の中では、私自身も一人物として「ゾンビ」でありうるあり方で存在している、というように。他人はたぶんゾンビではないふつうの人間であり、私自身はたぶんビンゾではないふつうの人間である、と想定すること——私はなぜかそう想定しているのだが——は、このように想定することと同じことなのではあるまいか。むしろ、このように想定することによってこそ、私は、私自身を、他の物体や他人（つまりzombibleなもの）と同じ種類の、他人に聞こえる音を発しうる口のついた一物体として捉えることができ、他人を、私（つまりbinzobleなもの）と同じ種類の、私の発する音を聞きとりうる耳のついた一つの魂として捉えることができるようになり、そのことによって私と他者たちを包含する客観的実在世界がはじめて成立するのではないだろうか。[2]

2 敏一、敏二、敏三、という三兄弟の寓話

しかし、問題はここで終わるのではない。むしろ、ここから始まるのである。私がこのような話を他者に語り（実際、そうしてきたわけだが）、他者がそれを理解するとしたら、そこで何が起きているのか。それが問題の始まりである。理解し同意する者は、必ず、この議論に登場する「私」を自分

自身のことであるかのように考えなければならない。そうでなければ、「私」の指す対象が理解し同意する者にとって他者となってしまい、この議論の本来の趣旨が通じない。先ほど、私がビンゾであると想定したとき、ビンゾなのになぜ他人から話しかけられうるのかと疑問に思った方は、この種の誤解が起こっていたことになる。しかしなぜ、自分自身が考え、語ったかのように理解することができるのだろうか。

さて、ビンゾは別名「敏三」でもあった。これは、彼が三男であることを強く示唆する。すぐ上の兄、つまり次男は、もちろんゾンビである。だから、以後ゾンビにも次男にふさわしい「敏二」という別名を与えよう。次男「敏二」は唯物論者、というより物質の化身、つまり唯物体であり、三男「敏三」は唯心論者、というより意識の化身、つまり唯心体であった。しかし、ここまでのお話では、唯心論が「私」に、唯物論が「他者」に強く結びつくことが示唆されてもいた。

さて、それでは長男「敏一」は、唯何論者、唯何体であろうか。答えは明らかだろう。彼はもちろん唯言論者、というより言語の化身、つまり唯言体である。三兄弟は、第〇次から第二次までの三つの「内包」に対応している。そして、兄弟のだれもが「唯〜論者」であることからわかるとおり、彼らは三人とも、本当は自分ひとりで世界を余すところなく構成できる（だから他の二人は自分の一部にすぎない）という恐るべき自負を抱いているのである。

敏二と敏三の対立についてはすでに述べてきた。だが、敏一の見地から見れば、当然のことながら、この対立はそもそもの始めから敏一が設定した土俵の上でのみ成り立つ派生的な対立にすぎない。もっとはっきり言えば、もし自分が存在しなければ、敏二も敏三もそもそも存在することさえできない。

この見地から彼は、弟たちがこの秘密を知らずに、物理的なものである脳が意識を生み出しているとか、物理的なものだって意識によって知覚されなければ存在しないとか、無邪気な空中戦を戦わしているのを微笑ましく感じている。

さて、そこで、話をもどそう。私がこのような話を他者に語り、他者がそれを理解する場合、理解する者はこの議論を自分自身が考えたかのように理解しなければならない、というあの話に。なぜそんなことができるのだろうか。その答えはまさに敏一の自負どおり、この議論が言語で語られているから、というものである。言語で語られることによって、この議論には驚異的な転換が起こっており、言語で語られている場合と語られていない場合では、この議論はその実質を一変させるのである。しかも、ある意味では、言語で語られないことは不可能だろう。私がひとりで考えて誰にも語らなくても、言語で考えられる限り、それは可能的には語られており、可能的に語られている限り、「驚異的な転換」はすでに起こってしまっているからである。

ここで前節の「このとき、次の一歩が決定的な問いとなる。」という箇所で述べたことを思い出してほしい。そこで、私はこう問うていた。「もしそれがありうるなら、他の時点の私から見て「現に今」の私がゾンビであることもじゅうぶんにありうることなのか。同様に、他者から見て「現に今」の私がゾンビであることも可能な事態ではあるのか」と。それはありうる、どころか、そうでしかありえない、とこの問いに答えるのが、すなわち敏一の見地なのである。しかし、そこで述べたように、この敏一の見地に対しては「現実性」からの反論があった。現に今、私が現実にこのように存在してしまっている限り、どのような観点からもその「現に今」の私がゾンビであることはありえない。ここには「観点の移動」の可能性そのものがそもそもないのだ。ところが、これまたすでにそこで示唆しておいたように、この「現実性」からの反論もまた——どこまでも——他者（他人や異時点の私）の観点から理解され賛同されえてしまうのである。どこまでも他者から理解可能（さらに賛同可能）でしかありえないこと、これこそが敏一の最大の必殺技であり、私のこの議論が他者から問題なく理解される理由でもある。

3 典型例としてのデカルトの『省察』

幸いなことに、哲学史上最も名高い出来事の一つが、この転換過程のあまりにも典型的な実例を与えてくれている。デカルトによってなされた方法的懐疑と「私の存在」の疑いえなさの帰結がそれである。あの思考実験のプロセスには汲めども尽きぬ味わいがあるが、ここで問題にしたいのは、彼の議論が正しく、それが真理を語っているか否か、という問題ではない。そうではなく、真であろうが偽であろうが、ともあれそれがどうして他者に伝わるのか、という問題である。

疑う余地なく存在するその「私」とは誰なのだろうか。『方法序説』や『省察』を読む読者は、デカルトの言うことを正しく理解し、もしそれに賛同するならば、疑う余地なく存在するその「私」とは自分（読者自身）のことだと考えざるをえない。しかし、どうしてそんなことが考えられようか。デカルトは他者の存在を疑わしいものとして打ち捨てていたはずなのに、読者とは、まさにその他者であるはずだからである。それなのに、なぜデカルトの考えたことは他者に通じ、賛同さえされて、後世に「デカルト的自我」なる一般的観念を伝えることさえなしえたのであろうか。

ここでもう一つ注目すべき点は、テキストを精読しても、デカルトがこの問題を多少でも意識した痕跡が発見できない、という点である。森羅万象を疑って、きわめて慎重に、まったく疑う余地のない真理だけを求めているはずのデカルトが、この点に関してだけはなぜこんなにも無頓着でいられたのであろうか。

答えはもちろん、デカルトもまた、そこを疑う可能性だけは思いつきさえしていないほどに深く、敏一の根源的な支配下にあったからである。このことがまた、彼の省察が他者に伝わる理由でもある。伝わったときには、当初彼が到達したはずの帰結とは似ても似つかぬ世界像が提示されてしまうのだが、デカルトはそのことにさえ気づいていない。

どう似ても似つかないのだろうか。それは簡単なことである。彼の省察が言語でなされたことによって、同じ省察を経たなら同様に疑う余地のない「私」が発見されることがすでに含意され、疑う余地なく存在する「私」が可能的に複数化されてしまうのである。[3] 本来、デカルトの省察において、疑う余地のない「私」が複数個存在することはありえない。もし一歩譲って、同じ種類のことが「もし」なされれば、その場合にも疑う余地のない「私」が発見されるのだ、とまではいえるとしても、それが現実になされたかどうかは、現に考えている（疑っている）限りでの「私」に知られうることはありえない。他の自我・他の精神は、どこまでも「疑いうるもの」の領域に残されるはずなのだから、複数性への道は絶対的に閉ざされているのだ。

ところがデカルト自身の省察のプロセスがロゴス化される（＝言語化され、論証化される）ことによって、自分の現実の省察行為自体が可能的なもの（の一種）となる。それは唯一現実になされた特権的な省察なのだが、その「現実になされた」ということ自体が概念化され・可能化されて、誰によって何度くりかえしなされてもよい事柄に変じるのだ。デカルトと同じ省察が「現実に」なされればよいのだから、それは簡単に実現可能なこととなる。それでも、他者がそれを現実になしているか否かは私には決して分からないはずではないか、と思われるかもしれないが、ここではすでに、まさにそのこと自体が、他者の観点からもそれとまったく同じことがいえるような「可能的な」事態となってしまっているのである。

かくして、他者から見て「現に今」の私がゾンビであることが可能な事態となった。[4] 他者の「私」、他の自我、つまり他我、という観念はこのようにして成立する。だから、それは徹頭徹尾言語的な構成物である。こうして、「現実性」それ自体がはじめから「可能的な現実性」でしかありえなくなり、デカルトの省察は可能的な私一般にかんして成り立つ議論となって、その帰結は「デカルト的自我」という名の客観的ビンゾの存在主張に読み換えられてしまう。他者もまたビンゾたりうることになって、一般的に理解可能な「ビンゾ」が成立すると、以後、「他我問題」という（はじめから当の他者と共有可能な！）一般的な「問題」が成立することになる。[5]

以上の議論は全体が逆の観点から表現されてもよく、むしろそのほうが本来的である。デカルトの読者は、デカルトという他者がおこなった省察から、なぜ読者自身の「私」の存在の疑いえなさを（ただそれのみを）習得できるのか、というように。必要なことはただ、「ここに敏一の介入の跡を見て取ることである。敏一の働きの観点から見れば、私は「私だけがビンゾでありうる」という絶対的な真理を、他者からのみ（つまりすでに相対化された形からだけ）学びうることになる。これがシンポジウムで話題になっている「独我論を教える」というプロセスであり、このプロセスを経てでなければ「ビンゾ」概念は、というよりもそもそも「心」という一般概念でさえ、成立することはない。一般的な（＝自他に共通の）心身問題や外界認識の問題等々は、すべてこの機構が働き終わった後にのみ成立する問題なのである。[6]

4　敏一の驚異的な技――偽と否定の関係から示唆される

私と他者との対比から一般的なビンゾとゾンビの対比が作られていくこの仕組みは、言語が働くいたるところに隠されていて、それがさまざまな哲学的問題を作り出している。ここではその一例として、偽と否定の関係についてごく簡単に触れておきたい。

存在する世界を同じく人為的に表象するとはいえ、絵にはその表象内容を否定する装置が内在していない（否定絵は存在しない）のに対して、文にはその表象内容を否定する装置が内在している（否定文が存在する）。言語とはそもそも何であるのか、その「驚異的な偉業」の一端をこの事実から見て取ることを試みよう。

「雪が降っている」という言明が偽であるのは、もちろん雪が降っていない場合である。現に雪が降っていない状況で「雪が降っている」と言えば、その発言は端的に偽である。このことはただ現実との対比だけで決まるので、「雪が降っていない」という否定文そのものはどこにも実際に登場する必要はない。そしてこの場合、発言者は「間違い」を犯したことになるので、もちろん道徳的な意味ではないが、ある種の「悪いこと」が為された（あるいは起こった）ことにはなる。

しかし、言語には否定文を作るという驚異的な力があるので、「雪が降っていない」という仕方で否定文を主張する（つまり否定を肯定する）という高次の操作が可能である。「雪が降っていない」と主張することは「雪が降っているということは偽である」と主張することと同じことではある（この二つの文は真理条件が等しく同義であるといえる）が、にもかかわらずこの場合の「偽」はすでに「悪」ではなくなっている。つまり、誤りではないような「偽」、主張することが可能な「偽」、が成立するわけである。それはつまり、もし「雪が降っている」と言う（思う）ならばそれは偽であるという、現実的ではない、可能的な「偽」である。これが否定文の可能性の根拠であり、否定の起源でもある。このとき、雪が降っているような「可能世界」が考えられている、と言ってもよい。否定の成立とともに、現実的な偽もまたこの否定に（その一種として）組み込まれることになる。

しかし、いったん否定文が成立すると、誤り（悪）であるような現実的な偽は、こんどはその否定文と現実のあいだにのみ（語られえぬ仕方で）生じることになる。もちろんそれも再び言語で語ることができて、今度は「雪が降っていなくはない」というような二重否定に成長していく。ともあれ、「降っていない」という否定性には、「降っていない」という言明の形では登場せず、「降っている」ことが現に偽であることのうちに（のみ）示される、（相対化・可能化されない）最終局面があるのでなければならない。それが、否定が現実とつながるための条件だからだ。しかし「降っていない」という否定文が言明として登場するときには、それはすでに「降っている」と対等の資格をもち、事態は全体として可能性の地平に移行し、実際に降っていないこともまた単なる可能性の一つとして位置づけられて非特権化されることになる。言語を使うことにおいて、雪が降っていない現実世界は、雪が降っている世界と並び立つ、諸可能世界の一つにすぎなくなるわけである。[7]

人称や時制も基本的にはこの機制に基づいて構築されている。現実的な偽に対応するのが現実的な私（つまり〈私〉）で、否定を媒介にした偽に相当するのが他人たちの語る「私」であることは言うまでもない。（現実から出発して考えれば、）現実に降っていることが相対化・可能化され、偽が否定に進化し、否定を媒介した相対化された偽が生じるように、（私から出発して考えれば、）現実に唯一つしか存在しない私であるあり方が相対化・可能化され、〈私〉が「私」に進化し、「私」を媒介した相対化された《私》が生じる。[8]「現実には雪が降っていない」という言い方が、言い方としては相対化できるのと同様に、複数の〈私〉が可能になるわけである。言語の立場に身を置くならば、複数の可能世界が実在するという考え方はけっして突飛なものではないだろう。その際、「現実には」という表現は、「私は」や「今は」と同様の反省意識（世界の内観！）の表現となるだろう。実証（検証）とは世界の内観であることになる。

5　敏一の技がはたらくためのある前提

否定（とそこで前提されている様相）で使われている、抽象的な「同じこと」を作り出すこの技法が人称を可能にし、コミュニケーションを可能ならしめている。しかし、敏一のこの技がとくにこの場面ではたらくためには、ある特殊な条件が必要とされるように思われる。これまたごく簡単にならざるをえないが、以下ではその条件の本質的な特徴を素描してみたい。

他の「私」が、つまり他のbinzobleな存在者が可能であるとしても、ただ複数の「私」が可能になっただけであって、それだけでは現実に物体的に存在しているあの他人たちがまさにそれである当のものだとまではまだいえない。そういえるためにはさらに、1の末尾で述べたように、「私は私自身を、他の物体や他人（つまりzombibleなもの）と同じ種類の、他人に聞こえる音を発しうる口の付いた一物体として捉えることができ、他人を、私（つまりbinzobleなもの）と同じ種類の、私の発する音を聞きとりうる耳の付いた一つの魂として捉えることができるように」なっていなければならない。それはいかにして可能なのか。

デカルトといえども、哲学を離れて市井の人々と交流する際には、自分の発する「私」という語で（疑う余地なく存在する唯一のものではなく）デカルトというその人物を捉えてもらわなければならず、他人たちの発する「私」という語で（可能的に「疑う余地なく存在しうる唯一のもの」ではなく）それぞれの人物を捉えなければならないだろう。それはいかにして可能なのだろうか。

私が私自身を口から音を出す物体であると認め、他者から認知可能なその物体がすなわち私であると甘んじて認めることができるのは、現実に何かを感じることができ、自由に動かせて、口から意志的に音を出すことができる身体はただ一つしかないにもかかわらず、この世界の事実として、その唯一の特権的身体が外部から認知（識別）可能なある特定の身体とつねに一致しているからである。この偶然的な事実を媒介にしなければ、これまで述べてきたような敏一の技によって一般的な人称構造を構築することは不可能だったはずである。古典的な哲学において、しばしば霊魂は分割不可能であると言われるが、もしそうであるなら、じつは身体もまた分割不可能なのである。身体は物体なのだからいくらでも分割できるではないか、と思われるかもしれないが、そうではない。かりに私の左手が胴体から切り離されても、私がそれを切り離されていない部分と同様に自由に動かすことができ、そこに切り離されていない部分と同様に痛みや痒みを感じるならば、それは私の身体としては分割されていない。私の身体がけっして分割されないのは、それが（何らかの仕方で統一されているからではなく）そもそもただ一つしかありえないからである。身体は物理的に分割されてもけっして分割されることがないのだ。私が生物学的基準で身体をいくつ持っていようとも、私の身体の数は必然的に「一」である。だからこそ私は、世界に多数ある身体のうちどれが私の身体であるか、間違えることも迷うこともけっしてないのだ。身体にも独在性が成り立つのである。

ところが、その原理的に分割不可能なただ一つの身体が、事実としては、外部から見られた原理的に分割可能なある一つの物体と合致している。これは永遠と瞬間の一致とも比されるべき奇跡的な出来事である。私はつねに永井という人の身体だけ動かすことができ、その身体でだけ感じることができる。けっして入不二や上野や青山や……の身体を動かすことができず、それで感じることができない。だからこそ私は、「私」という語が人々からなる世界においてどの特定の人を指すかを知る（意識する）ことなしに「私は〜」と語ることができ、しかしそれは必ず[9]永井を指すことに成功するのだ。だから、私は永井なのである。この離散的固定性は偶然的事実にすぎないが、しかし「私」という語が人々のあいだのコミュニケーションに使えるための不可欠の前提である。

私がデカルト的省察を経て、私の存在の疑いえなさの覚醒に達したとして、その私が特定の独在的身体（何故かただそれのみを動かし感じることができるような身体）と結びついていない可能性を考えることはできる。そのような場合、「私」という語は他者とのコミュニケーションのために使えないだろう。[10] 独在的身体が他者たちにそれとして持続的に識別されうる客観的物体でもあることこそが、コミュニケーションの基礎をなしている。これはもちろんきわめて重要な事実である。がしかし、特定のそのような独在的身体と結びつきうるのは、デカルト的省察を経て「私の存在」の疑いえなさに覚醒しうるような（つまり人々からなる世界においてどの特定の人物が私であるのか知ることなしに存在しうるような）ものでなければならない、というその裏面もまた忘れてはならない。ゾンビ可能性とビンゾ可能性は相補い合うのである。

独在的身体において重要な事実は、「感じられる」こと以上に「動かせる」こと、つまり感覚・知覚よりも自由意志である。私が「私」という語（言葉）を介して世界とつながりうるためには、独在する唯一の発話意図と世界内のある一つの物体（その言葉がそこから出る口の付いた身体）とが外的に一致していなければならないからである。発話意図の主体と他者にそれとして識別されうる身体が、口（それを意志的に動かすことによって言葉が発せられるとともにある区切られた物体の一部分でもある口）を介して外的に結合していることが、私が世界内の一人物として自己を他者から見て「ゾンビ可能な」ものとみなしていくための条件であろう。

この自由意志は独在性と不可分なので、唯一つだけ現実に存在するのでなければならないが、それもまた（偽が否定化されるのと同様の敏一の驚異的な技によって）一般化されて「他の自由意志」

が可能であることになるだろう。[11] これはもちろん、「原理的に一つしかありえず、現にここに一つある」という特殊な性質（独在的性質）が、その内容はそっくりそのまま維持されたまま、可能的なものとなって相対化され、複数化される、という例の機制の一例にすぎない。しかし、この際にはそのことが世界の中に物的に存在する身体と結びついて実現する点がとりわけて驚異的なのである。つまり、独在的身体の可能的複数化は、物的に存在する他の身体において実現するのだ。「身体」とはそもそもそのようなものの名であろう。こうして、林立するあれらの物的諸身体は、誰かがそれで感じ、誰かによって自由に動かされ、誰かの発話意図に基づいた言葉がその口から発せられる、事象内容的には私のそれとまったく同じ種類のものとなり、したがってまたその誰かはそれぞれ対等に「私」となる。ビンゾ可能な他者の身体の成立である。[12]

こうして、すべての人間は対等に反省的な「自己意識」をもった主体となるだろう。デカルト的省察も一般的な自己意識の確実性についての論として読まれるだろう。他と並び立つ一主体となることで、つまり、口から言葉を発して自分の思いを自分の「意見」として他人に伝える主体となることで、私は、「〜という思いが浮かぶ」ことと「〜と思う」ことをはっきりと区別して言葉を「話す」ことができる、つまり「言う」ということが可能な人間的主体となるだろう。[13]

他人の私（他我）は文字通り存在しない。他人は私でないのだから、それは実際に雪が降っていないのと同様のまったく自明なことにすぎない。他人の「心」や「意識」を考えたとしても、それが私のそれとは似ても似つかないこともまたまったくもって（「単なる所与」であると言ってよいほど）完全に自明なことである。しかし、この差異は敏一の必殺技の後では、つまり言語的には、きれいさっぱりと乗り越えられている。

可能世界が他人のように「実在しない」のは、まず第一に、それらには「身体とは独立の」、それらが起こっている「場所」がなく、したがって当然、それに付けられた「口」に当たるものもないからだろう。(だからもちろん、われわれの現実世界の側にもそれらを想定できない。)もし出来事(記述)と独立に場所の限定が可能であれば、それに固有名をつけることができ、付いている「口」がそれを「私」にあたる語(「この世界」等)によって(たまさかの外的結合に基づいて)他者に向かって指すことができるだろう。逆に、他人が最初から体も口もない単なるビンゾであったら、そこで豊かな心的出来事が起こっていても、それは「実在しない」であろう。[14]

ウィトゲンシュタインは、「ここではいま五時だ」と同じことが起こることだという説明では「太陽ではいま五時だ」を有意味にはできないのと同様に、「私は頭が痛い」と同じことが起こることだという説明では「ストーヴは頭が痛い」を有意味にすることはできない、と論じた。[15]「五時」とは地球上のある地点の太陽との位置関係から生じる概念だからである。それなら、頭痛の場合にこの「太陽との位置関係」に当たるものは何だろうか。それはいま述べた意味での身体をもつことであろう。さて、それでは、ストーヴは身体をもたないだろうか。必ずしもそうとはいいきれない。ストーヴは、単なる空間点や時間点に比べれば、いや土や空と比べてさえ、むしろ頭痛を感じやすいとさえいえるだろう。ストーヴは、形態によっては頭にあたる部分を持ち、その部分を含むある区切られた全体があるから、その全体と結合した(痛みをそこに感じるべき、痛みそれ自体とは区別された)主体を想定しやすいからである。それは外から数えられた一個のストーヴとたまたまぴったりと一致した主体であり、そいつが痛みを感じるのである（その位置に痛みがあるのではなく）。彼女の大きな欠陥は口がないことだが、「五時」の例に比べれば、致命的とまではいえまい（地球ではなくとも惑星ではあろう）。

6　父の登場

ここまでの議論が正しければ、敏一こそが圧倒的に偉大な力を持っていることになる。しかし、敏一には致命的な欠陥があるのだ。敏一的世界理解がもし正しければ、デカルト的省察が真理であるために私が存在する必要はなく、肯定と否定の仕組みが成り立つために現実が存在する必要がないことになるからである。彼の世界理解が間違っているわけではない。むしろ、もはや間違っている（偽である）と言うことさえできないほどの致命的欠陥を含んでいるのだ。その欠陥とは、もしそうなら、現実には何も存在しなくても（つまり現実が無くても）すべてはそのまま保持される、というものである。現実には何も存在しなくても、敏一的「現実」性は問題なく成立し、すべてはすべてが「現実に」存在するのと何も変わらないことになるのだ。敏一的世界理解を「言語的ニヒリズム」と呼ぶこともできるだろう。

　では、敏一の支配を免れた（したがって言語では語れない）その現実性は、いったい何が与えているのか。ここでゾンビ一家の神学的家族構成が明らかにされねばならないだろう。

父　敏　――存在
長男　敏一――言語
次男　敏二――物質
三男　敏三――意識

神学的構成と呼んだのは、父である敏を「神」と呼んでもかまわないからである。それは、敏一に手を触れさせぬ仕方で（つまり言語ではけっして語られえぬ仕方で）最も決定的な存在と無を直接的に支配する。それは言語では表現できない。とはいえ、そのことはもうこのように言語で語られてしまっているではないか？　そう、敏と敏一はけっしてただ対立だけしているのではないのだ。この親子の関係には、おそらくはこれ以上ないほど哲学的に微妙なものがあるといえる。

敏二と敏三の対立と見えた、ゾンビとビンゾの対立の真の意味が、ここで明らかになると思う。敏二（ゾンビ）と敏三（ビンゾ）の対立は、物と心の対立であった。しかし、物と心とは何か。

この論文の冒頭で述べたように、ゾンビとは、身体は外見上も生理学的にも人間そっくりの在り方で立派に存在しているが実は中身（つまり意識）が存在しない完全にフィジカルな存在者のことであった。しかし、それは心がないということだろうか。そうとは言い切れまい。もし文字通り心がないなら、彼は、過去の思い出や未来への願望を語り、習得した多数の知識と知覚的判断に基づいて論理的に推論したりできるはずがない。彼は、心の機能のすべてを完璧に備えてはいるのだ。それでも無いとされるのは、「意識」という名の最後の砦だけである。とはいえ、彼は「意識」という概念を

「理解して」おり、自分がそれを持っていると「信じて」はいる。だから彼は、ある意味では何も失ってはいない。彼には、何か決定的に欠けているものがあるだろうか。

ビンゾについても、同じことが言えるだろう。ビンゾとはゾンビとは逆に、意識だけの存在者であった。しかし、それは心があるということだろうか。これまたそうとは言い切れないだろう。彼が、過去の思い出や未来への願望を語り、習得した多数の知識と知覚的判断に基づいて論理的に推論したりできるという想定は、いったいどこから導かれたのであろうか。彼には意識しかないはずなのに。それはおそらく、彼が持つとされる「意識」というものの内部に、そうした記憶や願望や知識や判断や推論といった概念的なものを「〜の（という）意識」という仕方ですべて組み込める、と想定したところからであろう。彼は外的な世界の全体をもそのような仕方で所有していた。つまり彼は、「〜の（という）意識」という仕方ですべてを所有できるわけである。だから、彼もまた、ある意味では何も失っていない。それでも、彼に何か致命的に欠けているものがあるだろうか。

両者とも、ある仕方で「すべて」を確保できる仕組みを内蔵している。ゾンビ（敏二）の場合、それでも彼には最終的な剝き出しの「質的な意識」だけは欠如しているではないか、といくら言い立てられても、それもまた「質的な意識」という概念としてなら所有できるのだ。ビンゾの場合は逆に、「〜の（という）意識」という仕方でならやはりすべてを所有できる。彼には、「〜の（という）意識」というあり方のうちから「の（という）意識」の要素を取り除いた、剝き出しの「〜」だけは欠けているではないか、といくら言い立てられてみても、そもそもその「〜」は「〜の（という）意識」としてしか与えられえないのだから、結果的には、彼はそれを完璧に所有しているといえるのである。単なる「〜」など在っても無くても同じだ、といえるからだ。

ゾンビは物質であり、ビンゾは意識であって、彼らはまったく異質である。それでも彼らが共通に所有している或るものがある。それを所有することによって、彼らはともに、何も失わず、世界を余すところなく再現しえているのである。それはもはや物質でも意識でもなく、むしろ概念、すなわち敏一の支配下にある言語（ロゴス）的なものである。彼らは、それぞれ自分が持っていない意識と物質を、敏一の協力を得て、「概念として所有する」ことに成功している。なぜそんなことができるのか。『純粋理性批判』において神の「存在論的な」存在証明を論じた際のカントが、その理由を簡単明瞭に与えてくれている。「現実的なものは単に可能的なものが含む以上の何ものも含まない。現実的な百ターレルは可能的な百ターレル以上の何ものも含んではいない」（A599/B627）と。それらは、事象内容（Realität）としてはまったく同じものだからである。概念は実在にコミットせずに実在するすべてを再現できる（だから概念的に「実在する」ことが論証された神もまた実在しないことができる）。

では、現実的な百ターレルにあって可能的な百ターレルにないものは何か。それはもちろん現実性（Aktualität）である。事象内容（Realität）と現実性（Aktualität）のこの対立こそが、すなわち敏一と敏の対立である。だから、その現実性は「現実的」という概念を付け加えるという仕方では決して実現されない。「現実的な百ターレル」はなお概念であって、なお可能的だからである。定義上「実在する」神が実在するとは限らないのと同様に。究極の現実性は概念ではないので、言語で語ることができないのだ。

ゾンビにおいてこの「神」にあたるのが「質的な意識」であることを見て取ることはたやすい。ゾンビは、概念としてはそれを持つが、にもかかわらず、現実のそれを欠く。だから彼は、何も失っていないにもかかわらず、すべてを失っている。逆に言えば、すべてを失っているにもかかわらず、何も失っていない。

では、ビンゾにおいてこの「神」にあたるものは何か。

『なぜ意識は実在しないのか』で私が使った「第二次内包」という語はチャーマーズに由来しているが、そのもとになっているのは『名指しと必然性』におけるクリプキの理論である。クリプキによれば、ある種の語が指している対象の本質は、その語に関してわれわれの側が持つ概念(さしあたっては第一次内包)によってではなく、世界の現実のあり方の側によって決まっている。われわれは「水」の何であるかを知らずに水を指し(指示を固定し)ており、水の何であるかはそれに関するわれわれの概念とは独立に世界の側で決まっているのだ。だが、クリプキに反して、世界の側で決まっているそれに、われわれが辿り着ける保証はどこにもない(第二次内包といえども単に「第二次」であるにすぎない)。

にもかかわらず、それは在る。と考えるとき、この強い実在論が要請しているのは、第二次内包の方向に、第〇次内包に対するマイナス内包に相当するものを想定することだろう。ビンゾは、概念としてはそれを持つが、にもかかわらず、現実のそれを欠く。第一次内包から出発して、第〇次の方向にも、第二次の方向にも、ともに到達できない「彼方」が在ることになる。しかし、そのように考えるとき、「痛み」や「酸っぱさ」や「赤さ」のマイナス内包の想定がじつは無内包の〈私〉の現存在から生じていたように、「水」や「金」や「熱」に関するその「マイナス内包に相当するもの」の想定もまた、じつは無内包のこの現実世界の現存在から生じていることになるだろう。この究極の唯物論（materialism）は物理学主義（physicalism）と徹底的に対立する。そして、ビンゾに欠けているのはまさにそれ（materia）である。だから、彼もまた、何も失っていないにもかかわらずすべてを失っており、すべてを失っているにもかかわらず何も失っていないことになるのだ。[16]

1 そういう他人たちにも、さらに、ふつうの他人であるかゾンビであるかの区別が成り立ちうるか、という問題がある。それは、夢の中に登場する他人たちにも、さらに、ふつうの他人であるかゾンビであるかの区別がありうるか、という問題と類比的である。そして、現実の他人たちにかんしても、これらの世界とまったく同様に考えることはできる。もしそうしないとすれば、それはわれわれがある言語的契約を結んだからであろう。

2 口は、意識的な発話意図に基づいた意味をもった音と、それがそこから出る個的物体とを結合する媒体として、デカルトの「松果腺」にあたる（いや恐らくはそれ以上の）重要な役割を果たしている。口こそが（もちろんそれを認知する耳と目の協力を得てだが）ビンゾ世界とゾンビ世界とを繋いでいるといえるのだ。有名なウィトゲンシュタインの「私」の「主体用法」と「客体用法」の区別は、ビンゾ用法とゾンビ用法の区別と言い換え可能だが、この区別は、それが私と他者との差異から生成してくる過程を考慮に入れなければ、それだけではたいした意味はない。可能世界には口がない。というのは、いわば発言そのものと独立の発言する身体（に相当するもの）がないという意味である。「実在しない」とは、この場合、そういう意味であろう。

3 「同じ省察を」と言ったが、この種の伝達の成功そのものが新たな種類の「同じ」さを創り出していると言うべきだろう。

4 いま現に私がこのようにして（他人である）デカルトの省察を（他人である）読者に向かって紹介しえていることにおいて、この機構がすでにはたらいていることに注意せよ。また、ここでは触れなかったが、他の時点の私から見て「現に今」の私がゾンビであるというもう一つの点についても、同じことが言えることはいうまでもない。

5 デカルトは「似ても似つかぬ世界像が提示されてしまうことに気づいてさえいない」と先に述べたが、じつは気づいていないだけでなく、むしろこの方向転換に自ら貢献している。これは重要な事実ではあるが、その点については、最も古い『〈私〉のメタフィジックス』から最近の『西田幾多郎』にいたるまで、いろいろのところで書いているので、ここでは触れない。しかし、「いま現に思う」ことから「思うたびごとに」という時間的な譲歩こそがその引き金になっている点は、ここでも強調しておきたい。

デカルトに関連してもう一点、ゾンビとはクオリアの欠如した（ビンゾとはクオリアだけの）人間だとすると、そのクオリアとは何か、という問題が生じるが、ここではさしあたって『第二省察』第九段落の、「確かに私は見ていると思っており、聞いていると思っており、熱いと思っている、これは虚偽ではありえない」という規定の下における「感覚」の特徴づけこそがまさに「クオリア」の特徴づけであると解する。そうすれば「私の存在」をめぐる以上の議論と「クオリア」概念の生成の問題はデカルト的にも直結することになるからである。

6 以上の議論には倫理学的対応物がある。「なぜ気に食わないやつをぶん殴ってはいけないの？」「おまえだっておまえのことを気に食わないと思っているやつに（ただ気に食わないというだけの理由で）ぶん殴られたら嫌だろ？　それと同じことさ。」この応答には完璧な説得力があるとされる。「気に食わないやつをぶん殴るのは痛くも痒くもなくて、むしろ気分がいいけど、僕のことを気に食わないと思っているやつにぶん殴られるのは痛くて嫌だな。だから、その二つはまったく違うことじゃない？」という反問は許されない。しかし、もしそう反問されたなら、再び「みんながそう考えたらおまえだって困るだろ？」と答えられるしかない。この問答が終わらないことを見て取るのはやさしい（「みんなじゃなくて僕だけが……って言ってるんだよ」「でも、そうみんなが言ったら……」）。社会契約とはこの応答の側の世界観をはじめて作り出す作業の名であり、定言命法（カント倫理学）とは終わらないこの問答を応答側で終わらせる宣言である。とすれば、敏一（言語）が根源的な社会契約の別名であることを見て取ることもまた容易であろう。

7　いわゆる「真理表」は真偽によって否定を定義している。「Pが真ならば、～Pは偽で、Pが偽ならば、～Pは真」というように。しかし、その真偽はすでにして可能的な真偽であり、（文に適用された）否定にすぎない。（「文に適用された否定にすぎない」と言ったが、否定はそれ自体として見れば、（現実との対比における）真偽という観点とはそもそも独立な起源を持つだろう。何かでないことは何か以外であることを意味するだけで、それが必ずしも真以外（つまり偽）や現実以外（つまり非現実）や存在以外（つまり無）である必要はない。文や言明はたまたま真理を主張する（現実の事実を語ろうとする）ことを主要な機能とするため、否定もまた偽との関連で説明されてしまっただけである。）

8　《私》とは（他者が自分自身である人物を指す「私」のことではなく）その他者にとっての〈私〉のことである（だからデカルトの「コギト・スム」はわれわれにとっては《私》にかんする命題である）。時制の場合もこれと同じ機制が働いているのだが、これについては『私・今・

そして神』（講談社現代新書）の一三三ページの図とそれをめぐる議論を参照していただきたい。

9　この「必ず」は、その前の「つねに」や「けっして」とともに、だからもちろん論理的必然性ではない。

10　身体でなくとも、何か身体に代わる、他者からそれとして認知可能な、離散的で持続的な実体が必要とされる。このことと記憶のつながりとの関係もまた興味深いが、論じている余裕がない（先ほど否定した「統一」が必要とされるのはこの連関においてであろう）。また、「私」ではなく「今」の場合に、この「他者からそれとして認知可能な、離散的で持続的な実体」にあたるものが何であるかも興味深いが、これも論じている余裕がない（註16参照）。

11　通常の基準によると、感覚の帰属と違って自由意志の帰属には第一人称の特権性がない。痒く感じられれば必ず痒いが、自由だと思われてもじつは自由でないことがある。註5で触れたように、デカルトは「感覚」について「これは虚偽ではありえない」と言ったが、自由についてはそう言わなかった。しかし、あえてそう主張してもよかったであろう。というのは、自由が阻却されるのはつねに外的な観点からだからである。欺く神がじつはすべてを決定していたとしても、今の私は自由だ、「これは虚偽ではありえない」と言ってみてもよかったろう。二度問題にした「このとき、次の一歩が決定的な問いとなる」のあの決定的な問いが、ここでもまた働いているのを見ることはたやすい。

12　彼らがじつはゾンビである可能性は、当初に在っていま消滅した私と他者との落差をもう一度反復する以外には理解しがたいものだが、その際はそのこと自体一般的な可能性としてだれにも理解可能なことがらに変じている。しかし、ここにはもう一つ、別種の懐疑論の可能性があることが注目されねばならない。インターネット上の匿名掲示板への書き込みには「自演」と呼ばれる現象がある。同一の人物が複数の人物を装って自分自身に賛成したり反対したり「演じて」見せるという現象である。だとすれば、ネット上ではなく実社会においても「自演の懐疑」が存在してしかるべきだろう。たとえば菅直人と小沢一郎がじつは同一人物である可能性が考えられるだろう。これはゾンビの懐疑とは別の意義を持った懐疑論である。感じ動かせる唯一の身体と外から一個とみなされる身体のたまさかの一致は、たまさかである（離散的固定性は偶然の事実である）がゆえに、それが現実に起こっていることが直接にわかる私自身の場合を除いて、他人の場合にはどこまでも仮説にとどまるからである（もちろん、繰り返し確認しておくなら、その他人自身にとっては「直接にわかる」という形でこのこともまた必ず相対化されるということもまた重要である）。

13

こういう主体はウィトゲンシュタインが想定したような意味での「私的言語」を持つことができるはずである。繰り返し起こる自分独自（他人には識別できない）の「感覚」を「私には〜と思われる」という仕方で人々に認めさせる仕組みが客観的に成立しているからである。ただし、ウィトゲンシュタインの想定に反して、この私的言語に属する語は一つではなく複数個存在する必要がある。それらの識別が当人にしかできない（という点で私的である）にもかかわらず、私的に識別していること自体は公的に認められることで、客観的な「私的言語」がはじめて成立するからである。私的識別権限の公認こそがここでいう「私的言語」の条件なので、もしある私的言語に属する語が一つしかないと、その感覚の私的な識別は（公的言語で表現された）「誰某だけが識別できるある感覚」と完全に一致してしまい、公的言語の一部にぴったりと組み込まれてしまうであろう。（なお、ウィトゲンシュタインを含めて、通常なされる私的言語に対する懐疑——その感覚はひょっとしたら変化しているかもしれないではないか、等々——は、端的にナンセンスである。ここでは当人が変化していない「と思う」ことが変化していないことであり、そのような内的同定の権限が認められることこそが論点なのだから。）これに対して不可能な私的言語とは何かという問題は、まさにここで主題的に論じられている問題そのものである。

14　他の可能世界がその口から現実に「現実には」と言うのを聴くことはけっしてないが、他人がその口から現実に「私は」と語るのを聞くことはしばしばある。ところで、私を含めて過去の人間が現実に「今は」と言っているのをいま読むこともまたしばしばある。そして、私を含めて現在の人間が現実に「今は」と言っているのを将来読まれることもあるのでなければならない。時間（人称とならぶ時制）については論じる紙幅がなかったが、過去からと未来へのこの対比が他者と自己の対比と重なる点は注目されてよいと思う。

15　『哲学探究』I―350．

16　この場面で、敏は時空を支配する妻敏子の協力を得る必要があるだろう。しかし、あまりに聖家族の寓話に頼りすぎるのも愚かであろうから、女系についての記述はここでは差し控えることとしたい。

2

無内包の現実

入不二基義

永井均・上野修・青山拓央との議論から浮かび上がった論点はいくつもあるが、その中から、私が特に重要な論点として受け取ったことを以下に記し、その論点に関する考察を若干追加しておきたい。

このafterthought（あとから考えたこと）は四節から構成されており、その概要は以下の通りである。【1】【2】【3】はすべて、「無内包の現実」に関連する論点を扱っており、（重複はあるけれども主として）【1】は私の基本路線の確認、【2】は青山と永井への応答、【3】は上野への応答になっている。また、【4】は、「マイナス内包」と「クオリア」に関連する論点を扱っており、永井への応答になっている。

【1】

現実性を表す「この」は、「この私」「この今」「この心」「この意識」のように、或る特定の何かにのみ付くのだろうか、それとも何にでも付く（「このX」のXは任意である）のだろうか。「この私」や「この今」は特別な現実性を表すけれども、「このコップ」や「この犬」では、そのような現実性は表せないのだろうか。

この問いは、次のように言い換えることもできる。現実性は、特定の内包を持つのか、それとも特定の内包を持たないのか。もし現実性の「この」が、特定の何かとだけ結びつくのだとすると、現実性は特定の内包を持つことになる。逆に、現実性は特定の内包を持たないならば、現実性の「この」は特定の何かにのみ付くのではない（何にでも付きうる）ことになる。

この問題に関しては、図式的に言えば「入不二 ↑ 永井 ↓ 青山」のように、入不二と青山が両極で対立し、永井がその中間的なポジションをとるという構図になっていた。

「この」「これ」に関して、私は（少なくとも）次の三段階を考えている。

(1) 或る近景を指示し、特定の個体を選び出す「この」「これ」

(2) 自己再帰的に原点を開示し、その原点を座標内に位置づける「この」「これ」

(3) それが全てでそれしかない現実を表出する「この」「これ」

(1)〜(3)は互いに連動しているが、もちろん同一でない。(1)と(2)はともに、複数のものの中から一つを指定する機能を含む。(1)の選び出し機能や(2)の座標内位置づけ機能が、それに当たる。しかし、(1)が任意の個体に付きうるのに対して、(2)は自己再帰的であるものにしか付かない。(2)は、自己再帰的であるものに原点（特異点）の役割を与え、そこを原点にした座標を開く。

一方(3)は、複数のものの中から一つを指定する機能がない点で、(1)や(2)と決定的に異なる。ただし、(3)は、(1)や(2)の近景性や再帰性・原点性を受け継ぎつつ、複数のものの中から一つを指定する機能は捨て去る。すなわち、「近景」が遠景と区別されずに「全て（が近景）」となり、現実が現実へと再帰するのみで、その現実（原点）は座標内に位置づけられることなく「座標面全体（が原点）」となる。(3)の「この」「これ」は、(1)や(2)の膨張版であるかのようにも見える。(2)の自己回帰する再帰性が、

（特定のものではなく）外のない現実自体へと膨張し、(1)の任意性が、現実における内包の任意性（現実と内包は無関係）へと膨張する。しかしまた、(3)の「現実」がそもそも成り立って初めて、(1)や(2)が意味を持つ、という側面もある。(3)を前提にして、それを擬似的に局所化することで、(1)や(2)は理解される。ここには、(1)(2)を基礎にした拡張版であるかのように見える(3)の方が、(1)(2)の基礎でもあるという循環がある。

「このコップ」という表現は、(1)としても(3)としても理解することができる。(1)として理解するということは、「このコップ」「あのコップ」「この鉛筆」「あのノート」……という分類体系の中で理解するということであり、(3)として理解するというのは、「この現実におけるコップ」の省略形として、すなわち、どんなものでも「この現実における」であることの一つの顕例として、理解することである。（また「この私」「この今」等は、(2)を経由して(3)へと向かう途上として理解することができる。）

さらに言えば、(3)として理解したものを(1)の中に組み込んで変換して理解することもできる。そうすると「現実」の意味が変わる。すなわち、「それが全てでそれしかないという現実」が、「特定の内容を持つ現実」「多くの可能性のなかの一つとしての現実」へと変わる。また、(3)として理解したものを(2)の中に組み込んで、(2)を変容させることもできる。そうすると「私」や「今」等が持っている「内包」が消えていく。すなわち、〈私〉〈今〉等からは通常の人称性や時制性は消える。

この三段階の区別と連動を念頭において、私は以下のように考えた。現実性の「この」がとりわけ「私」や「今」等に付く事態を、「方便」「きっかけ」としてはその役割を認めつつも、その事態を通して捉えられる「現に」という現実性自体（全一的な現実）は、「私」や「今」にだけ付くものではないことを強調した。むしろ、現実性の「この」は、何にでも付きうるし、何にでも付くのでなければならない。いや現にあらゆるものに付いている。すなわち、「現に」という現実性が全てであってそれしかないこと（現実の全一性）は、いわゆる「私」（意識や主観や心など）という問題場面からは、ほんとうは独立である（その場面が現実性を理解する適切なきっかけの一つになるとしても）。(2)と(3)は、連動はしているとしても、あくまでも別物である。

それに対して、青山は、現実性の「この」の後に来るものには、本質的に一定の範囲があって、何らかの基準によって選ばれると考えていた。その意味で、「この私」や「この今」とは言うが、「このコップ」「この犬」とは言わないのだ、と。

また永井は、現実性の「この」が、入不二的な離脱性を持つことをある程度認めつつも、なお青山的な限定（何らかのものが「この」の後に来る）ことを保持しようとする。だからこそ、序章「問題の基本構造の解説」の註23では、「ただし、それが真に「無」内包であるかに関しては疑念を抱いているが」と記している。また、シンポジウムの発言では、「(……)私は私だと。これが私で、他の人は私じゃない。現実の、まったく特別な私がここにいるというだけで、事実そうなっていて、それでおしまい、と。」と述べていて、最終局面の中に、私と他人の区別を残している。そのような意味で「中間的な」ポジションを占めていた。

「この私」「この今」と言うとき、青山の言うように或る種の「基準」が働いていることを、私も否定しないし、する必要もないと思う。私自身も、「方便」「きっかけ」としては、一定の何かが後ろに来る傾向は認めるわけだから。適切な「方便」「きっかけ」になるための「基準」はあっていいし、あるはずである。⑴から⑵を経ることによって、何かが抽出的に理解されて、⑶が納得しやすくなることはある。

ただし、「方便」「きっかけ」として、「この私」「この今」という結合に特段の役割があることと、その結合を通して理解された現実性が、「私」や「今」に含まれる内包を本質的に（最後まで）持つかどうかとは、別問題である。というのも、「この」が表す現実性とは、「それが全てでそれしかない（全一的な）」現実であって、もう選び出す働きを持っていないからである。⑶段階目の現実（これ・この）が、選び出しや座標内位置づけをしないことと、「無内包」であることとは、同じことを別様に表現しているだけである。

⑶段階目の「この」に対して、誤って「複数のものの中から一つを指定する機能を付与してしまう」ことがある。すなわち、「現実を複数の可能性の中の一つとして位置づけてしまう」ことがある。そのときには、⑶段階目の「この」は、再び⑴段階目や⑵段階目の中に埋め込まれて、変換されて理解されてしまっている。

たしかに、現実性理解のための「方便」「きっかけ」としての適切な基準はあるだろう。すなわち、⑵と⑶がうまく連動するための基準である。一見、「私」「意識」「心」「主観」などの「心的な領域」であることが、基準であるようにも見える。しかし、そうではないだろう。

むしろ、「全体」という表象を形成しやすいもの（全てを覆うと考え得るもの）というのが、基準となるのではないか。ある種の（唯心論的？）傾向性を持った人にとっては、心的な領域が「全体」

をカバーするものになりやすいので、意識や主観などが「この」の後ろに来ることによって、全一的な現実への通路となる。しかし、必ずしも「心的な領域」である必要はない。たとえば、「世界」や「今」は、現実性の「この」の後に来るが、「コップ」や「犬」は現実性の「この」の後に来ないと感じられるとすれば、前者が「全体」を表象し、後者は「部分」を表象させてしまうからであろう。

重要なことは、この「方便」「きっかけ」の段階ではまだ、「全体」という表象へと接近しつつも、特定の内包が残っているということである。「この私」「この今」「この意識」「この主観」……では、それぞれの「内包」に応じて、特定の内包が残る。その「内包」を捨て去らない限り、「現に」という副詞性に特化された「現実」の全体性には至らない。

なぜ「この」「これ」という表記だけが最後まで残されて、「私」「今」「意識」等の方は消し去られるのか。その答えも、上記の点と関係がある。通常の「私」「今」「意識」の用法に残る「内包」を捨てて、特定の内包をできるかぎり持たない表現にすることが、「現に」という副詞的な現実性を捉えるためには相応しいからである。それでも、「この」「これ」にも、最低限の内包（近景性など）は残るだろう。しかし、他の表現と比べれば、もっとも内包が削ぎ落とされていて、「無内包の現実」を表すのに相応しい。また、「この」「これ」にも残る近景性・近接性という最低限の内包は、「現実にはその外（遠隔性）がないこと」へと転用されうる。

【2】

現実性を表す「この」は、何か特定のものに付くのか（それとも何にでも付くのか）という議論は、結局「現実の無内包性を認めるか」という議論だったことになる。

青山の立場は、現実性の「この」「これ」に対して、特定の内包との本質的なつながりを認めるものであり、その結果、現実が無内包であることは認めないことになる。

一方、永井の立場は、現実が内包から離脱的であることを認めつつも、完全に「無内包」であることを疑うものであった。まったく「無内包」だとすると、現実性がそれだけで自立して離存することになってしまわないか（現実性のオバケ？）。現実性の「この」も、ある範囲の何か（「私」や「今」や「意識」や「心」など）に最後まで依拠せざるを得ないのではないか。そういう疑義を呈する「中間的な」立場であった。

青山の立場に対しては、私は「現実が無内包である」ことを強調することによって、次のように答えたことになる。

「この私」「この今」等は、⑶段階目：全一的な現実性表出機能と⑵段階目：自己再帰的な原点位置づけ機能とのアマルガムである。この二つの機能が混合していることは、⑴から⑶へと向かう過程では、一定の役割を持つ（これが「方便」「きっかけ」ということであった）。しかし、それでもなお、⑶段階目：全一的な現実性表出機能と⑵段階目：自己再帰的な原点位置づけ機能は、分けて考えるべきである。

　後者の自己再帰的な原点位置づけ機能には、「この」が付く相手に応じて、「内包」が残る。そして、それに応じて選び出す機能も残る。しかし、前者の全一的な現実性表出機能にはそのような「内包」は関与しない。もちろん、選び出しも行わない。なんであれ現実は現実でしかなく、それがすべてだからである。内包の働く余地がないし、選び出す意味がない。そして、現実性の「この」「これ」自体は、特定の内包を持たないがゆえに、何にでも付きうることになる。

　一方、永井の立場に対しては、以下のように応答したい。現実性の「この」「これ」が、特定の内包とは本質的に関係がない（あるいは「無内包」である）という私の主張は、現実それ自体の「離存」までは意味していない。あくまでも、「現に」という現実性には、どんな「内包」とも無縁・無関与であるということであって、現実がいっさいの「内包」から離脱して、それだけで遊離して存在できる（オバケのように？）ということではない。

　すなわち、「無内包」の「無」とは、「無」が自立自存するということではない。そうではなくて、「現に」という現実の成立のために、どんな特定の内包も関与していないということである。現実の現実性には、どんな内包も無力であり、どんな内包が入ろうとも、そのことは現実の現実性といっさい無関係なのである。

　「内包」から「現実」へと至る通路はなく、逆に「現実」が成立して初めて、その中身としての内包も問題にできる。したがって、どんな「内包」を持ってきても「現実」を導き出すことはできないが、一方「現実」であるならば、そこを満たすのはどんな「内包」でもかまわない。このように、

「〈現に〉という現実性」と「〈何・どのようであるか〉という内包」のあいだには、非対称性がある。このように、「現実」は「内包」が及びようのないあり方をしている。「無内包の現実」「現実は無内包である」とは、そういうことである。

ただし、この点を誤解しないかぎりは、次のように理解することも、無害であろう。すなわち、どんな「内包」も及ばないという「現実」の特徴（＋α）にのみ焦点を絞って、そこだけをイメージするために、以下のような比喩もそれなりに有効なのではないか。

「無内包の現実」とは、「真空状態」のようなものである。「真空状態」は、物質はまったく含まなくとも、単なる無ではなくエネルギー（力）に満ちている。むしろ、そこから何かが生まれ出てくる場である。この比喩では、「物質」が「内包」に相当し、「現に」という現実性がエネルギー（力）に相当する。「物質」を取り去っても「真空状態」が残るように、「内包」を引き去っても「現実」が残る。その意味では、「無内包の現実」を、この世のもの（＝種々の物質）に依拠することなく、ただ気配（＝力）だけがあるような「幽霊」に喩えることも、それほど的外れではないだろう。

たしかに、「現実の無内包性」は、文字通りに「全現実の完全なる離存」までは意味してはいない。しかし、「現実」から「内包」を引き去っても残る部分、或いは「内包」の総和に尽きない「現実性」に焦点を絞ったうえで、その部分を、あたかも内包から「離存」するかのように表象することは、誤りとまでは言えない。その意味に限定して、「無内包の現実」とは幽霊のようなものであると、言ってもよい。

（永井の立場に関連させて）もう一つ確認しておきたいのは、次の二つの区別である。

(a)〈私〉は、ある特定の人物から切り離せるか。

(b)〈 〉(或いは「この」)は、〈私〉や〈今〉(この私・この今)から切り離せるか。

(a)は、様々な思考実験を通して永井が長年考察してきた問題であり、(b)の方が、「現実の無内包性」として私が問題にしたかったことである。

どちらも、「切り離し」が何を意味するかによって答えは変わってくるだろう。しかし、「切り離し」が「離存」というもっとも強い意味である場合を考えるならば、(a)には否定的な答えが与えられるだろう。それに対して、(b)では、無内包性が高まっている(「私」や「今」に残る内包性も消える)分だけ、肯定的な答えに近づくのではないか。すなわち、〈私〉は人物から離存するわけではないのに対して、この性自体(現にという現実性)は、「私」や「今」という内包から離存しうる度合いは高まる、と。この差は、個別的かつ純粋な「魂」の離存は認めがたくとも、空気のような気配としてだけ存在する「幽霊」は認められる、という差に類比的である。

ただし、「肯定的な答えに近づく」とはいっても、「真空状態」の比喩が「無害である」「それほど的外れではない」「誤りとまでは言えない」という程度の「肯定」ではあるけれども。

【3】

(a)と(b)の差として反映している、〈私〉〈今〉と「無内包の現実」との違いに加えて、もう一つ区別しておきたい点がある。それは、「無内包の現実」の無内包性と「形式（形相）」の無内容性との違いである。この点を強調しておきたいのは、「無内包の現実」の無内包性を、「実質」に対比された「形式（形相）」の無内容性と同じものと見なす誤解が、上野の議論やフロアからの質問の中に読み取れたからである。

その場面では、上野が言及しているように、実質的な内容を持たないT文的な真理のことが、「形式（形相）」として考えられている。すなわち、「「雪は白い」は、雪が白いときそしてそのときにのみ真である」というようなタルスキー流の真理の定義である。

上野によれば、言語との最初の遭遇においては、「(中身は不明であるが）何かほんとうのことを言っているはずだ」という原初的な真理へのフック（自己同一化）がなければならない。まさにその位置に「主体の開設」が生ずる。そして、この「ほんとうのこと（原初的な真理）」という謎を反復して指示し続けるのが、〈私〉という「現実指標」というわけである。

たしかに、上野の考えている「現実＝原初的な真理」は、われわれが知っているような特定の内容（内実）を持った「認識論的な現実」のことではない。むしろ、「内容（内実）を持つ」ということそのもの」を開設する真理であって、「形式的な現実」と呼ぶのが相応しい。

現実が特定の認識論的な内容（内実）を持つためにも、特定の内容（内実）を持つこととは別に、「認識論的な内容（内実）を持つということそのもの」が成り立っていなければならない。いわば、「認識論的な現実」が普通の意味での「真理」であるとするならば、「形式的な現実」は「真理の真理」（個々の真理のすべてが指し示す大文字の真理）である。タルスキー流の真理の定義もまた、実質的な個々の真理が可能になるための原初的な真理（真理の真理）を定義している、と言うこともできる。それは、内容（内実）を持つための前提（形式）であるが故に、それ自体は「無内容」なのである。いわば、「内容のための無内容」である。

　この意味において、上野が言わんとする「現実」とは、個々の真理とイコールで結ばれる「認識論的な現実」ではなくて、「原初的な真理（真理の真理）」とイコールで結ばれるべき「形式的な現実」である。そして、「形式的な現実」は、「形式」であるがゆえに、トートロジカルな無内容さをその特徴とする。

　これに対して、私が主張したいのは次の点である。上野的な「形式的な現実」は、たしかにその意味で「内容（内実）」を持たない。しかし、その「無内容性」は、無内包の現実の「無内包性」とは異なるということ、これである。

「形式的な現実」は、「内容（内実）を持つということそのもの」だからこそ、特定の内容（内実）からは独立であり、「無内容」なのである。それに対して、「無内包の現実」は、特定の内容（内実）から独立であるだけでなく、内容（内実）を持つということ自体に対して無関与だからこそ、「無内包」なのである。いわば、「無内包」は、「内容のための無内容」でさえない。さらに言い換えれば、

「形式的な現実」は、（実質的な真理ではなくとも）原初的な真理とイコールで結ばれるのに対して、「無内包の現実」は、そもそも（実質的であれ形式的であれ）真理とは無関係である。真理とイコールで結ばれる「現実」もあれば、真理の真理とイコールで結ばれる「現実」もあれば、真理以上の「現実」もあるということである。

というのも、「現にかくかくしかじかである」の「かくかくしかじかである」の部分を取り去った「現に」という副詞性のみが、この意味での「現実」だからである。「かくかくしかじかである」の部分には、「かくかくしかじかの具体的な中身」だけではなく、「かくかくしかじかであるということ」自体、すなわち「形式」も含まれる。その両方を削ぎ落とした「現に」という副詞性のみが、「無内包の現実」に相当する。「無内包の現実」は、「真理」でも「真理の真理」でもなく、「（真理以前の）原事実」である。

「真理」と「事実」の差は、真偽両様の可能性が開かれていることと、そのような可能性がそもそも立ち上がっていないこととの差である。「真理」は、言語によって開かれるあり方だからこそ、真偽両様の可能性とともにある。一方、「事実」は、言語が成立しようとしまいと、そのこととは無関係に、ただ端的に成立している。

「「ψ」が真であるのは、ψであるときであり、そのときにかぎる」という形式は、「ψ」という言明とそれを真にするもの（ψ）とのあいだの、分離と一致（乖離可能性を用意したうえでの一致）を表現している。「 」とその解除との落差が乖離可能性を、同じψの反復が一致を表している。すなわちT文的な真理の定義は、真理というあり方のもっとも基本的な形式を（言い換えればミニマムな言語の原型を)、表現している。

「分離と一致」が可能になったこのような真理空間の内に位置づけられるならば、「事実」もまた、言語の内にあるかのように、すなわち、「それを真にするもの(ψ)」こそが「事実」であるかのように見えてしまうだろう。しかし、「事実」とは、真理空間の内に位置づけられるか否か(言語で表現されるか否か)とは独立に、ただ端的に成立しているものである。或る「事実」が成立しているか否かと、それが言語で表現されるか否かは、別問題である。

さらに、「現に」という副詞的な現実性は、そもそも真理空間の内に位置づけられるものではない。むしろ、真理空間が「現に」開かれていることによって、真理空間の外から付与される。もちろん、真理空間だけでなく、成立している或る「事実」もまた、「現に」成立していることによって、副詞的な現実性の力を被っている。そのような意味において、「無内包の現実」は、「真理」ではなく、(さらに「事実」とも区別されて)「原事実」なのである。

(実は上野も、語句解説の中で、きわめて正確に次のように書いている。「(……)たとえ雪が白くなくてもその条件は変らない。本当に雪が白いかどうかということとそれは独立である」。そう、この箇所の「本当に」が、無内包の現実性に相当する。そして、「独立である」ことが、「真理」あるいは「真理の真理」と、「無内包の現実性」が異なることを表わしている。)

しかしここで、言語による真理空間の開設を重視する者ならば、以上の論述に関して、次のように異を唱えたくなるだろう。「事実」や「原事実」といっても、たとえば「ψという事実」や「現に」のように、何らかの仕方で言語によって表現されざるを得ない。したがって、「事実」や「原事実」

といえども、言語による真理空間の開設から逃れられるわけではない、と。

もちろん、この反論は半面正しい。その意味では、「言語による真理空間の開設から逃れる」ことなど、できはしない。しかし重要なポイントは、もう半面にある。それは、「逆襲」「逆転」である（永井が「第〇次内包」の自立について述べたような「逆襲」「逆転」を、拡大使用することを意図している）。すなわち、「第〇次内包」が、「第一次内包」への逆襲によって文脈から自立可能になるのと同様に、「事実」や「原事実」は、「真理空間の開設」を経ることで表現できるようになるとしても、当の「真理空間の開設」への逆襲によって、言語から自立可能になるのである。「内面」や「私性」の十全な成立のためには、逆襲によって「第〇次内包」が文脈から自立することが不可欠であるのと同様に、「外界」や「世界性」の十全な成立のためには、逆襲によって「（原）事実」が言語から自立することが不可欠なのである。

【4】

最後に、「マイナス内包」と「クオリア」に関連する論点について、簡単に言及しておきたい。「マイナス内包」を追加するという私の論点に関して、永井の応答は、追加することもしないこともどちらも可能であり、その違いは「立場」的な相違に過ぎないというものであった。言語ゲーム的あるいは反実在論的な立場においては、「マイナス内包」的なものは無意味なものとして退けられるが、それに反対する実在論的な立場は可能であるし、これまでにもあった。どちらの立場にしても、基本の図式は共有しているので、大きな問題ではないというのが、永井の応答であった。

この点に関しては、永井の言うとおりだと思う。だが、私が重視したいのは、以下の点である。『なぜ意識は実在しないのか』の叙述の中にも（中にこそ）、永井がとりあえず立つと宣言した「言語ゲーム的あるいは反実在論的」な立場から、その逆の「実在論的」な立場（マイナス内包を許容する立場）への移行の契機が含まれている、という点である。

私の「論点1」（「第〇次内包」に対して、「マイナス内包」という段階をさらに付加するという論点）は、あらかじめ永井とは異なる立場に立ったうえで、それを追加しようとしたのではなかった。むしろ、永井の叙述に含まれる可能性（たとえば、「自立」化という方向性や「逆襲」という考え方の可能性）を延長することによって、引き出された論点である。重要なのは、（ここでも再び）「逆襲」あるいは「逆転」という発想である。

「逆襲」あるいは「逆転」とは、ごく大ざっぱに言えば、「関係性の中で初めて可能になる〈後なるもの〉が、にもかかわらず、その関係性を超え出た独立的な〈先なるもの〉へと変貌すること」である。この「関係の第一次性」から「独立の第〇次性」への転回自体が、反実在論から実在論への移行をすでに準備している（と私は言いたい）。ここでは、文脈から独立した私秘的な感覚を認めないのが「反実在論」に相当し、文脈から独立した私秘的な感覚を認めるのが「実在論」に相当する。「言語ゲーム的あるいは反実在論的な立場」から出発したとしても、その逆の「実在論的な立場」へと向かう契機を胚胎することになり、それが成長して出発点の立場を転覆させる。これが、「逆襲」あるいは「逆転」である。

もちろん、さらに「逆襲の逆襲」もあるだろう。関係性を超え出た（と思われる）私秘的な感覚も、実は、そのようなもの（私秘的な感覚）として認めるという文脈（関係性）の中に位置づけられて初めてそうなる、というように。これは、「実在論的な立場」を経たうえで、独立的なものを再び「反実在論的な立場」へと位置づけようとする「逆襲の逆襲」である。

そして、その「逆襲の逆襲」、すなわち「実在論から反実在論への再度の移行（あるいは遡行）」を、さらにもう一度「逆襲し返す」という段階（逆襲の逆襲へのさらなる逆襲）を認めることが、「マイナス内包」を想定することに相当する。

結局、「逆襲」あるいは「逆転」は、一回限りの「逆襲」あるいは「逆転」ではなくて、「逆襲のし合い」あるいは「逆転に次ぐ逆転」であることによって、その可能性を十全に展開することになるのではないか。ということは、重要なのは、「図式の共有と立場上の違い」というよりも、「基本の図式の中での一方から他方への移行・転換」なのではないか。あるいは、両方の立場を同時に持たざるを得ないことの必然性なのではないか。私が重視したかったのは、そのような点である。

「「クオリアの逆転」が「後」で生じうるのだとすれば、それに相当することが、「始め」からすでに生じていたかもしれない」「「後」から生じうることは、いつ生じてもおかしくないし、「始め」から生じていてもおかしくない」という考え方を、私は「時間の平等原理・等質原理」に結びつけて語った。しかし、永井はこれに疑義を表明して、前者は後者とは関係ないのではないかと指摘してくれた。

次のように訂正しておきたい。「「後」で可能になることが、実は「始め」から……」という考え方を、単純に「時間の平等原理・等質原理」に対応させる私の語り方は、正しくなかった。むしろ、「「後」で可能になることが、実は「始め」から……」という考え方の中には、時間の二原理（平等原理・等質原理と特異点原理・非等質原理）の両方が、しかも一方が他方を包み込む仕方で含まれている、と語るべきであった。

時間の二原理は、単に「同一の時間についての二つの対比的な考え方」ではなく、むしろ「位相の異なる時間を構成する相容れない二原理」である。その点を等閑視して「時間の平等原理・等質原理」だけを取り出し、その原理を「「後」から生じうることは、いつ生じてもおかしくないし、「始め」から生じていてもおかしくない」という考え方と単純に結びつけてしまうのはまずい。というのも、「「後」で可能になることが、実は「始め」から……」という考え方に含まれている（いなければならない）「時間の捻れ」が、平板化した「時間の平等原理・等質原理」と結びつくことになって、「捻れ」はなかったかのようになってしまうからである。

「位相の異なる時間を構成する相容れない二原理」が、それでもなお協働するという点を考慮に入れてこそ、その「捻れ」は保持される。ここでもまた、「〈後なるもの〉が〈先なるもの〉へと変貌する」という「逆襲」あるいは「逆転」が働いていることが、重要なのである。認識論と存在論、あるいは意味論と存在論のあいだでの「逆襲」あるいは「逆転」は、時間の内部でも働いている。この点を、強調すべきであった。

「〈私〉にはクオリアはない」と私が述べたのに対して、「〈私〉こそが唯一のクオリアだとも言える」と永井は応答した。この二つの発言は、クオリアについての考え方で対立しているのではないし、単純にクオリアの肯定／否定を争っているのでもない。むしろ、「ゾンビ」が弁証法的な議論の進展に応じて複数の意味を持たざるを得ないのと同様に、「クオリア」もまた複数の意味を経巡らざるを得ない、ということを表現している。

「ゾンビ」に弁証法的な三段階を設けたのが永井の議論であり、それにもう一段階を追加したのが私の論点3であった。合わせると、こうであった。

1. 私も他人もみんな、ゾンビであることは不可能である。
2. この私だけはゾンビであることは不可能であり、他者は必然的にゾンビである。
3. 私も他人もみんな、必然的にゾンビである。
4. この私だけが必然的にゾンビであり、他者はゾンビであることは不可能である。

これに対応させるならば、「クオリア」もまた弁証法的に四段階を経巡る。

1. 私も他人もみんな、必然的にクオリアを持つ。
2. この私だけが必然的にクオリアを持ち、他者はクオリアを持つことは不可能である。
3. 私も他人もみんな、クオリアを持つことは不可能である。

4．この私だけがクオリアを持つことは不可能であり、他者は必然的にクオリアを持つ。

「〈私〉にはクオリアはない」という私の発言は、4の段階に相当するものである。「私」に残存する内包を除去して、現実性（この性）だけを〈私〉という表現の中に読み込もうとしている。4の「この私」は、現実性のみを残す〈私〉に対応しており、4の「他者」は、何らかの「内包」が残存する状態を表現している。

一方、永井の「〈私〉こそが唯一のクオリアだとも言える」という対抗的な発言は、（4の段階を経たあとに）もう一度2の段階へと戻って表現している、と考えることができる。（4の段階を経た後の）2の段階の「この私」とは、「内包がない」ということを、そのことだけを、新たに「内包」として持つ私であり、その新たな「内包」が「真の唯一のクオリア」なのである。

もちろん、どれか一つの段階が「正しい」のではない。むしろ、すべての段階を辿り続けることが、「クオリア」を問題として構成し続けるのである。したがって、この事態を裏側から（ネガティヴに？）表現すれば、次のようにも言える。

そもそも、「クオリア」は何を表しているか意味不明な用語である（のでなければならない）。あるいは、「クオリア」という用語は、意味が通じ了解可能なときには、その用語は特に必要のないものであり、その用語が必要になるときには意味不明にならざるを得ないような言葉である。

3

存在の耐えられない軽さ

——ラカン、デイヴィドソン、永井均

上野修

自分の発表とそのあとの討議を読み返してみて、いつもながらうまく言えてないなと思う。特に、子どもが最初にお母さんの言(パロール)の真理条件に自己同一化する、という話の、真理条件のところ。言葉が足らないせいで、デイヴィドソンの想定するような、世界のあり方への相互主観的参照点としての真理条件、というふうに思わせてしまう不備があった。実は、子どもが最初に自己同一化する真理条件は世界のあり方への参照とは何の関係もない。それはラカンの言い方では「純粋なシニフィアン」なのである。「大文字の他者」についても説明不足で、まるで主体のコミュニケーションのパートナーであるかのように思わせてしまう不備があった。しかし「大文字の他者」は普通言われるようなコミュニケーションのパートナーではない。相互的なパートナーとなるのは、これもラカンの言い方だと「小文字の他者」である。最後に、なぜ大文字の他者の言の真理への原初的自己同一化が「現実」の開闢となるのか、そしてその「現実」とはどういう意味の現実なのか、という点。ここが一番大事なのに、うまく言えていない。以上三点をはっきりさせる必要がある。

あとになって発表のテキストをゼミで聞いてもらったのだが、いったい先生は永井さんに賛成しているのか反対しているのか、どちらなのかよくわかりませんと言われてしまった。たしかに、読み直してみるとそうである。私は永井の独在論を真正の問題として擁護しているようで、しかも、それはやっぱり「われわれの言葉の夢」なんだよ、と言おうとしている。賛成しながら反対しているのである。最近になって大庭健さんの『私はどうして私なのか——分析哲学による自我論入門』(岩波現代文庫)を読むことがあった。ちょうどよい機会なので、大庭の永井批判と対比させながら、いったい自分は何を言いたかったのか、いまいちど私の狙いをはっきりさせたいと思う。最初にあげた三点についてはその中で明らかにしよう。

0 上野のスタンス

文庫版では名指しこそされないが、大庭の批判のターゲットは永井均の独在論である。大庭によれば、永井の「同類をもたない私」は分析哲学の啓蒙で解消されるべき疑似問題にすぎない。永井的独在論は他者への応答責任を担う主体をないがしろにし、「内なる自己」に自閉しようとする間違った議論である。「私」という一人称指標語は、他人たちから「大庭健」と名指されるこの生身の人間を、まさにその他人たちへの応答責任において「それは私です」と引き受ける、そういう使用としてはじめて意味を持つ。なのに、それを相手との関わりとは独立に、「つまり絶対的あるいは自閉的に」、同類の存在しえない絶対の実体を指示するかのように押し立てるのは、「内なる自己」の「横領的な私物化」の試みに他ならない。[1]「ピュアな自分を気取り続ける」言説に大庭さんは我慢できない。彼にとって、永井独在論の〈私〉は若者を惑わす鬼火なのである。

彼の批判はしかし、永井のパラドックスを真正のパラドックスとして受けとめないために、急所をとらえていない気がする。永井の独在論は議論の構造からして、他者なき「自閉」とは何の関係もない。永井のパラドックスはむしろ、通じてはならないはずの彼の独在論が読者に通じてしまうということ、言い換えれば「自閉」が不可能であるということなのである。たしかに、永井はこのパラドックスを「無限累進」として語ってしまうので、あたかも他者への応答可能性を拒否して「ピュアな自分」に拘り続けるかのように見えてしまう。けれども、問題はそういう「ピュアな自分」への自閉なんかではない。本当の問題は、語りえない〈私〉を絶えず残し続けながら無限に累進を引き起こす、その原因はいったい何なのか、またなぜそれは言語によって必然的に隠蔽されてしまうのか、という問題である。私の考えでは、そこにこそ永井の「思考されざるもの」がある。だから私は独在論が疑似問題だとは言わない。むしろ永井のパラドックスを真正のパラドックスと考える。永井の「累進構造」は鬼火ではなく、哲学が引き受けるべき真正の問題であると考えるのである。しかし、もし真正の問題なら、そうした累進を引き起こす原因がなければならない、とも考える。原因は、パラドックスのおそらく除去不可能な原因であると思われる。だから、それがわかったところで「累進構造」が解消されるわけではない。が、それでも、永井の独在的な〈私〉は実体のようなものでなくて本当は「われわれの言語の夢」なのだということは、少なくとも言えるのではないか。だいたいそういうのが私、上野のスタンスである。

1　大文字の真理

基本的なスタンスを確認した上で、最初にあげた三つの点を順に見てゆきたい。まず、子どもが最初にそこへと自己同一化する真理条件は現実世界のあり方への参照とは何の関係もない、という、にわかには信じ難い私の論点について。討議の最初の方を見るとおわかりのように、私は永井に、最初の他者であるお母さんが子どもに実際に世界がどうなっているかを教える、そのどうなっているかが真理条件である、というふうに思わせてしまった。そこから、そこで問題になっている「現実」は中身のある認識論的な意味での現実であって、入不二の言う存在論的な意味での現実ではない、というふうな話に進んでしまった。これはひとえに、分析哲学のデイヴィドソンとフランス精神分析のラカンを断りもなく結びつけるという、あまりなじみのない私のやり方のせいである。少し説明をしておきたい。

たしかにデイヴィドソンでは、発話の真理は現実世界のある特徴との一致に存する。デイヴィドソンは「三角測量」ということを言う。子どもはある状況の特徴に対する大人の反応と、それに対する自分の側の反応とをすりあわせ同期させながら、大人がもし本当のことを言っているのならそれは何を言っていることになるのか見当をつける。そういう、現実世界と二つの主体を三項とする「三角測量」が根元的解釈を保証するのだと。[2] デイヴィドソンによれば、「私」という語が固有名に置き換えられないのは、この語の使用によらなければ、解釈者は三角形の一項に自らを位置づけることができないからなのである。[3] しかし、デイヴィドソンの「三角測量」は、主体がとにかく出現して自分を世界の中に位置づけられるようになってからの話である。私が問題にしたかったのは永井の「開闢」、すなわち、そういう主体そのものがどうやって開設されるのか、ということだった。

デイヴィドソンの「根元的解釈」のアイデアのすばらしいところは、たとえ言っている内容がわからなくても、とにかく本当のことを言っている、真である、という想定さえあれば、それだけで他者の声は「意味するもの」(シニフィアン)になる、という点である。ラカン的な原初の遭遇を説明するのにこれはうってつけである。[4] 子どもは向こうからやってくる声(大文字の他なるもの)の告げる何だかわからないがとにかく本当のこと、いわば未知のXに自己同一化し、そのことによって聞く主体として出現する。これがラカンの想定だった。デイヴィドソン流に言うと、子どもが同一化するXは最初の言(文以前なのでこう言っておく)が真になる条件、真理条件である。ただ、幼児はまだ語も文も知らないのだから、それは特定の内容をもった文の真理条件ではない。むしろ、およそ声の語ることはXゆえに真である、そのXとは何か、という絶対的な先取りが問題なのである。「三角測量」が可能になるのはそのあとであって、まずはXが何だかわからないままに確保されなければ、そもそもいかなる根元的解釈もありえない。(このことはデイヴィドソンの「思いやり原理」(Principle of charity)にその痕跡を残している――とにかく本当のことを言おうとしているのだろうという構えなしにいかなる解釈もスタートできない)。Xの確保は子ども自身がそれに同一化することで果たされる。主体はまずは他なる言の告げる「それ」としてこの世に現われる。ここが肝要である。この「それ」に当たるしるしを、ラカンは「純粋なシニフィアン」と言っている。純粋、というのは、意味内容で満たすことのできない空虚なシニフィアンだということである。それはデイヴィドソンの言うような「真」という単一な原始概念の、いわば紋章のようなもので、あれこれの世界の特徴とは関係がない。むしろ、最初に遭遇する言が何か言っていることになるために子どもがすがりつく、とりあえずの、しかし結局は最終的な、投錨である。

他者の言との遭遇とその真理条件への自己同一化。これを逃せば、小さな生き物が言語主体となるチャンスは二度と無い。そしてこの先取りされた真理への投錨さえあれば、習得すべき言語の可能的空間の全体が一挙に与えられる（構造は一挙にしか成立しない、という構造主義の教えを思い出そう）。ラカンがl'Autre（大文字の他者＝大文字の他なるもの）とかla Vérité（大文字の真理）とか定冠詞つきの大文字で書くのは、このような最初で最後の投錨の唯一性のためである。私が問題にしていたのはそうした「大文字の真理」のことだった。それは現実世界の何らかの特徴との一致に存するような真理ではない。むしろ、あとで見るように、現実世界の中でついに出会われることがない、主体自身の不可能な真理なのである。これがはっきりさせるべき第一点だった。

2

大文字の他者

次の点に移りたい。大文字の他者の問題である。子どもとお母さん、という発表での言い方はどうしてもミスリーディングなところがある。お母さんが子どもに言葉を教え、子どもはお母さんから言葉を教わる。そんなふうに考えてしまうと、デイヴィドソンの間主観的な「三角測量」になってしまう。これから見るようにそれは間違いではないのだが、あくまで「大文字の真理」への投錨と主体の開設という、われわれが想定する出来事のあとの話である。遭遇の最初のところでは、お母さんはまだ人間ですらない（一個の人物とはまだ認知されない）。赤ちゃんが目の前にしているのは、「大文字の真理」を秘匿している絶対的な場所のようなものだ。そこからあの声が聞こえて来る。だから、「大文字の他者」、いやむしろ「大文字の他なるもの」とは、彼方からの呼びかけがやって来る絶対的で超越的な場所の名前であって、あなたがそう言えば私はこう言う、という、普通考えられているような水平的なコミュニケーションのパートナーではない。ならば、永井が討議で問題にしていたような「逆襲」や「逆転」はどうやって可能になるのか。いったいお母さんはいつただのお母さんになるのか。ここは発表では省略していた部分に当たる。説明を補っておきたい。

心理学者ヴィゴツキーによれば、子どもはまず他者が口にする外に現れた言葉、「外言」(external speech) を模倣するところから始め、やがてそれは内化されて「内言」(internal speech) になる。われわれは自分が話す言葉は自分のうちからやって来ると思いがちだが、もとはすべて外にあった。外言の模倣がまずあって、子どもはよくわからずにとにかく口にして言ってみる。小さな子どもたちを見ているとわけもわからず大人の口まねをして騒いでいるが、まずはそこから始まる。それが次第に内化され、われわれの思考言語となる。ヴィゴツキーのこういう仮説には説得力がある。[5] しかし、子どもは模倣される他者の言葉をどうやって自分の言っている言葉と見なすのだろうか。以下は私の仮説である。赤ちゃんに話しかけているお母さんを見ると、たいていは、まだ何も言えない赤ちゃんがまるで何かを言っているかのように、代理して言っている。「あったかいねー」とか「おいしいねー」とか、そんなふうに言いながら、赤ちゃんが言っているはずのことを代理して声にしている。子どもが真似るのはまずはこの、いわば代理外言とでも言うべきものである。「アッタカイネー」、「オイシイネー」。するとお母さんがそうだねーと褒めてくれる。そうやって子どもは、自分が言っていると他者によって解釈されたそのことを、自分が言っていることとして模倣し、言うことになる。代理外言の模倣によって、自分が言っているであろうことを、他者が望むように言わされるのである。

もしそうだとすると、根元的解釈はお母さんの側と子どもの側とで二重になっていると言わねばならない。お母さんは子どもを、ラカンの言葉で言うと「知っていると想定された主体」と見なし、子どもの立てる声を子どもが言いたがっていることとして解釈し、代理して言ってやる。これはもちろん、「思いやり原理」に基づく母親の側からの根元的解釈である。子どもは子どもで、そのようにして母親が言葉にして言ってくれることを、自分が言っているであろうこととして解釈し、模倣する。子どもはもちろん自分の言いたいはずのことをお母さんから学ぶしかない。子どもにとってはお母さんが「知っていると想定される主体」になっている。ラカンには「主体の欲望は大文字の他者の欲望である」という有名な定式があるが、それはこういう二重の根元的解釈を定式化したものと考えればよくわかる。自分が言おうとしていることは大文字の他者が言おうとしていること。そう信じなければ、爆発的な言語習得の開始など起こりようがない。

というわけで、子どもは大文字の他者に従属した発話者となる。これがラカンの想定だった。いったん発話者の位置を獲得すれば、あとは「三角測量」が始まる。寒い部屋で震えながら「アッタカイネー」と言うと、お母さんがそうじゃないと訂正してくれる。そうやって、「あったかいね」という一語文がどんな場合に真となるのか学んでゆく。いったん習得したなら、当然、永井の言う「逆襲」

や「逆転」も可能となる。お母さんはあったかいというけれど、ちっともあったかくないよ、というふうに。ここのところをよく見ると、いつの間にかお母さんは超越的な「大文字の他者」(l'Autre)から水平的コミュニケーションのパートナー、「小文字の他者」(l'autre)になっている。いずれ子どもは、お母さんだって自分と同じたくさんの人間たちの一人にすぎない、自分が知っていてお母さんが知らないこともあると思い知る。そこにはある種の見切り発車というか、最初の真理への断念のようなものがあって、これが大人へと向かう現実的なセンスの基底をなしている。ラカンはこの断念をたいへん重く見ていて、彼の理論の大部分はその問題をめぐっていると言ってもよいほどだ。厄介だが、この点は永井のパラドックスにも関わるので、ざっと説明を試みる。

知と真理の分裂

最初の遭遇で子どもは、大文字の他者の言っているXに自己同一化したのだった。その瞬間、赤ちゃんは他者の側の「純粋なシニフィアン」のもとでしか存在しなくなる。他者へと譲り渡されてしまうという意味で、ラカンはこの最初のステップを「疎外」(aliénation)と呼んでいる。[6] 次のステップは不可避である。子どもはXについて大文字の他者に問い合わせるであろう。他者の謎のXになってしまった子どもにほかの選択肢があろうとは思えない。これが「純粋なシニフィアン」の威力である。するとどういうことになるか。子どもは大文字の他者からの語りかけを、すべてこの問いへの応答として解釈することになるであろう。言い換えると、この第二のステップで、他のすべての可能なシニフィアンは一挙に、Xについて何かをほのめかすシニフィアンになるであろう。それ以降、およそ意味するものは、Xの「隠喩」となるのである。ラカンはこのことを、「シニフィアンとは、別のシニフィアンに対して主体を代理的に提示するもののことである」というふうに定式化している。だから、「主体」って何なのだと問われれば、主体とはすべての意味の意味なのだ、と言わねばならない。しかし同時に、そんなものは不可能であるとも言わねばならない。

デイヴィドソンの意味の理論に立ち戻ってみよう。デイヴィドソンはタルスキの真理定義を転用することで意味の理論を構想したのだった。たとえば、

「雪は白い」が真なのは、雪は白い場合、その場合にかぎる。

ある文の真理条件を与えるこういう形の文をタルスキに倣ってT文(真理文)という。「雪は白い」という形をした文についてこんなT文が作れるということ、それはとりもなおさず、日本語を理解していることに等しい。一般に、言語Lにおいて文Sが真になる条件を与える理論があれば、それは言語Lの意味理論に相当する。デイヴィドソンによれば、話す存在はこういう無数のT文を生み出す公理系のようなものを実装していると想定される。ラカンが「知っていると想定された主体」と言っている大文字の他者は、きっとこういう想定された公理系のようなものに違いない(と私は勝手に考えている)。で、問題は、大文字の他者の公理系は自分の生み出す無数のT文そのものの真理条件をT文としてアウトプットできるか、ということである。たとえば「雪は白い」が真なのは雪は白い

という場合に限る、というこのT文は、対象となっている言語（日本語）を知っていると想定された主体にとって真でなければならない。それが対象言語を知っているということだから。ではこのT文自身の真理の条件は何か。想定された公理系はそんな「真理についての真理」を打ち出すことはできない。もし打ち出そうとすればT文のそのまた真理条件を述べるT′文が必要だが、この新たなメタレベルのT′文がやはり同じ言語であるかぎり、その真理条件を述べるさらにT″文が必要となり、というふうに無限背進に陥ってしまう。「雪は白い」は雪は白いということだ。そう教えられても子どもは怪訝な顔をして「なぜ？」と聞く。ラカンも注意しているように、子どもが知りたいのは大人の言う「雪は白い」がそういう意味であるということの意味、意味の意味なのである。もちろん、そんな意味は誰も言うことはできない。ラカンが「大文字の他者にとっての大文字の他者は存在しない」とか、「メタ言語は存在しない」と言っているのは、まさにこのことにほかならない。[7]

以上を大文字の他者との遭遇の場面に戻って言い直すと、大文字の他者の言がすべて真になるための先取りされた真理条件Xについて、同じ大文字の他者は決して言うことができない、ということである。ラカンの言葉で言うなら「真理についての真理はない」。こうして、子どもが同一化したXは必然的に語りえない真理となる。Xは、およそ大文字の他者の言うすべてのことが真であらねばならないための条件、すべての真理の真理、すべての意味の意味だが、それは不可能な何かとなる。大文字の他者の側で主体を固定する「純粋なシニフィアン」はいよいよ純粋になるばかりだ。

ラカンはこういう事態を「知と真理の分裂」と呼んでいる。[8] いま、主体からの問い合わせに対する大文字の他者からの可能な答えの総体を、「知」（le savoir）と名づける。こどもはそういう「知」を他者の側に想定して根元的解釈へと進むのだった。しかし子どもが問うている肝心のXは、右に述べたような理由で、決してこの知の中に姿を現わさない。これがラカンの言う「知と真理の分裂」である（ウィトゲンシュタインの『論理哲学論考』にも同じような分裂の話がある）。こうして、子どもは自分がそれであるはずの語りえぬ真理と、およそ学習しうる一切の知との間で引き裂かれる、それも必然的に。ラカンは最初の「疎外」に続くこのステップを「分離」（séparation）と呼び、喪失のフェーズとして特徴付けている。[9] 子どもは最初の何か大切なもの、原初のところで大文字の他者（お母さん）と共有していた何かが、自分から分離してどこかへ行ってしまったと感じるであろう。そして、そのどこかへ行ってしまった特権的な何かを子どもは終生追い求めることになるだろう——それが不可能なものだということを否認しながら。本当はこの喪失対象の維持のためにラカンの「父なるもの」という、これまた大文字の他なるものの機能が必要となるのだが、話が複雑になるので立ち入らない。主体の真理は不可能であり喪失対象も幻想にすぎない——こんな身も蓋もない真相が露呈しないように蓋をする。それが「父なるもの」の機能だと思っておいていただきたい。真理はどこかにあって、失ったものもどこかにはある。そういうかりそめの保証を「父なるもの」が与える。このおかげで主体は何とか消滅しないで生き延び、大人へと向かう現実的センスを身につけてゆく。その中で、お母さんはあいまいにではあるけれど一人の人間、小文字の他者になってゆくのである。

コミュニケーションにおける他者

以上をふまえて、コミュニケーションの他者という問題に戻ろう。ラカン的に見ると、われわれのコミュニケーションは構造として二重になっている。[10] 表面的には、あなたには私が見え、私にはあなたが見えるという相互的な関係がある。ラカンによれば、子どもは問題のXが大文字の他者からどのように見えているのかという謎を、自分の鏡像、ないし同類の似姿でもって想像的に埋め合わせる。「鏡像段階」と言われるもので、あなたと私というあの悩ましい反転的相互性の基礎がそこにある。だがラカンの考えでは、この小文字の他者とセットになった小文字の自我はおとりにすぎない。

私の目の前のあなたとあなたの目の前の私という鏡像的関係は、もう一つの関係を覆い隠す障壁ないしスクリーンとして機能する。それが隠しているのはほかでもない、いま見たような、大文字の他者と、知と真理の間で引き裂かれた主体との、運命的な関係である。コミュニケーションはこんなふうに小文字の他者と大文字の他者で二重構造になっているので、目の前のあなたがいつのまにか、私の真理を知っていると想定された主体になっていたりする可能性は十分にある（これは「転移」と呼ばれている）。そのとき目の前のあなたは相互的なコミュニケーション・パートナー以上の何かになっている。ラカンは、主体はそのとき、忘れていた自分自身のメッセージを反転した形で大文字の他者から受けとるのだと、たいへん難解なことを言っている。[11] 実はこれが「無意識」のラカン的な定義なのだが、省略する。

ともあれ、私が気になるのは、大庭が「呼応可能性」を強調して永井を批判するとき、彼はいま言った隠蔽スクリーンとしての障壁を強化してはいまいか、ということだ。呼びかけることも、応じられることも可能であり、呼びかけてもらえるし、応じることもできるという呼応可能性、これを大庭は「責任」と呼ぶ。彼によれば「私」という指標詞が指示しているのは、まさにこうした呼応可能性という意味での、責任の主体としての、この私である。「私は、あなたが、「あなた！」と呼びかけ・応じてくれる存在として、その呼びかけに応じうる存在として、私でありえている。そして、あなたも、である」[12]。大庭の言うこうした呼応の相互性はまさに鏡像的な関係であると思われる（大庭自身、自他の関係をラカンの鏡像段階から説き起こしている）[13]。だが私の見るところでは、永井の独在論はそういう鏡像的関係が覆い隠すもう一つの関係、大文字の他者との関係に関わっている。もうお気づきだろうが、永井の独在論の語りは先に見た「知と真理の分裂」をたえず反復することで成り立っている。言語、すなわち大文字の他者の語りうる一切は、永井が原初に同一化したXを必然的に語り残す。「知」によって構成される現実世界の中では永井は永井という名の人物でしかないが、彼がそれであるところのX、すなわち彼の真理は、「知」で同定可能な現実の人物との分裂においてのみ指し示すことができる。そのXという「純粋なシニフィアン」、それが、永井独在論の〈私〉なのである。大文字の他者が呼びかけてくれて応じたのに、応じた私に答えは永遠に返ってこない。お母さんはこちらをまなざしてくれているのに、見返す私、Xは、お母さんのまなざしには見えていない。永井独在論の本質は、まさにこのような分裂と呼応不可能性に存するのである。

こう見てくると大庭の批判がどこですれ違っているかがはっきりする。永井の独在論は、大庭の言う呼応可能性が覆い隠すまさにその次元で機能している。だから呼応可能な他者たちの「私」はその次元ではどうでもよい。構造的に、どうでもよいのである。私が発表で、永井が語りかけているのは目の前の読者ではなく大文字の他者なのだと言ったのはそういうことだった。永井はそのような語りかけにおいて、彼自身の不可能な真理のメッセージを反転した形で、つまりお前は不可能なのだという形で、受けとる。すぐに見るように、きっと彼の読者であるわれわれも同じように、忘れていた自分自身のメッセージをそれぞれの大文字の他者から受け取っているのである。これが確認すべき第二の点であった。

3　パラドックスの原因

残るのはなぜ大文字の他者の言の真理への原初的自己同一化が「現実」の開闢となるのか、それはどういう意味の「現実」なのか、という問題だった。討議の半ばあたりで、お母さんがあなたのいる世界が現実だと教えてくれる、というふうに言ってしまったのはいかにもまずい。現実は、そんなふうに教えられるようなものではないからである。こう言うべきだっただろう。われわれは何か本当のことを現実と呼ぶ。本当でないことを現実と呼ぶことはできない。「真理」という原始概念は根っこのところで「現実」という原始概念と一つになっている。現にあるとおりのことが現実であり、真理とはその現にあるとおりをあるがままに言うことだ。だから真理の原始概念が言（何か言っている！）との遭遇において先取り的に与えられるとき、現実という原始概念もまたそれとともに同時に与えられる。そう考えてよいだろう（もちろん、どうしてそんな原始概念が与えられるのかは言えないけれど）。したがって、他者の言の真理に同一化する主体は現実でなければならぬ何かに自己同一化する。私は発表で、その何かを「現実指標」というふうに言った。子供はこの指標をたよりに、自分がどこの何者であるかを、「知っていると想定された」他者から学んでゆく。人間としての自分と自分がいる世界を学ぶのである。そう考えると、「開闢」は必然的に知と真理の分裂を被った主体を生み出すということは明らかである。永井はそのことを、「端的な私が世界に登場したとき、同時に端的でない私も世界に登場せざるをえない」というふうに述べていた。いったん登場すれば、私は常に真実の「端的な私」と、現実世界の人物である「端的でない私」とに分裂し、二重化し、最初の差違を反復する。そうさせる原因はわれわれが見たような「知と真理の分裂」にほかならない。大庭はこういう二重化を、思考に対するメタレベルの思考、あるいは自己像と他者による描写とのズレといったものの不当な拡張として批判しているが、そうではない。[14]これは言語主体の存在論的構造なのである。

永井の累進構造はこのような「知と真理の分裂」によって駆動される。独在論は一般の理解のレベルに落ちるたびにただの「論」になって独在についての語りから転落し、そのたびに語りえないものの次元が累進的に更新される。悩ましいのは、〈私〉の唯一性という話が他人たちにも通じてしまうということだった。しかしそれは当然で、言語を解する存在はみな各自の大文字の他者の「純粋なシニフィアン」に同一化しているのだから仕方がない。言語が存在するとはそういうことなのである。私が「中身のない形相的な唯一性」と言ったときの、一つの意味はこういうことだった。

もう一つの意味は、言語活動は主体を選ばない、ということである。永井は自分だけが違うというふうに驚くが、それは言語を解するだれもが見る普遍的な夢、「われわれの言語の夢」にすぎない。そして、まさにそのような夢を見ることができる生き物だけが、互いを根元的に解釈しあう言語ゲームに参加できる。〈私〉が特定の人物から切り離せるのはまさに〈私〉が不可能な真理のシニフィアンだからであって、他ならぬこの私がそれに同一化しているということとは無関係なのである。誤解がないように付け加えると、大文字の他者が本当にどこかに実在するわけではない。主体たちはそれぞれに想定された大文字の他者に従属するが、それが同一の大文字の他者である必要もまったくない。あるのはただ、各自の大文字の他者の解釈者たちだけが互いに解釈し合うことができる、という言語的事実だけである。〈私〉という唯一的でリアルな実体というものも実在しない。〈私〉はたかだかシニフィアンであって、根元的解釈の営みを離れては存在しないからである。

発表で「中身のない形相的な唯一性」を入不二の「無内包」に関連させようとしたのは、やはりミスリーディングだった。入不二は、それ以外に何もないという現実の絶対的で唯一的なリアリティを「無内包」として捉えようとしていた。私は反対に、〈私〉の唯一性はリアルでも何でもないただのシニフィアンの指標性であると言っていたのである。とはいえ、独在的な〈私〉の特権的な形而上学的身分について、二人は違う方向から疑問を呈していたことにはなる。現実という概念がいっさいの内包を凌ぎ、人称を残す〈私〉の独在性をも凌ぐという入不二の論点そのものに異議はない（むしろ共感する)。ただ、その論点は永井のパラドックスの原因を明らかにはしないと思う。永井のパラドックスは真理条件に関わるが、入不二の「無内包」はまさにあらゆる真理条件を凌いでしまうからである。私はむしろ原因の解明こそが必要だと考えた。それが永井独在論をすれ違った批判や誤解から守ることになる。そう考えたのである。なんでこんなに親切なのか自分でもわからないのだが。

アクチュアリティとリアル

このシンポジウムは「現実」という問題をめぐっていた。私は「現実指標」という言い方をしたのだが、その「現実」というのがどういう意味の現実なのか曖昧だった。最後にこの点をはっきりさせておきたい。

発表のデカルト的な文脈では、それはこの指標が指定する可能世界のいずれか、どこであろうと私がいる世界、という意味になっていた。しかしラカン的な文脈では、現実指標は現実世界というよりはむしろ、主体の(不可能な)真理のありかを示すものとして言われていた。ここはやはりラカンにならって、前者のアクチュアリティという意味での現実から区別されるものとして、後者の意味での現実を「リアル」(le réel 現実界)と名付けておきたい。(この区別は、すでに見た「知と真理の分裂」に対応している。)「現実」にも二つの意味があって、それは青山が論じていたように、様相と深く関わっている。様相で見ると、アクチュアリティとしての現実は、可能、「リアル」は不可能と言うことができる。実際、アクチュアリティという意味での現実世界は、それは本当はどうなっているか、あるいはどうでありえたか、というふうに考えることができる。デカルト的な懐疑が露呈させたように、アクチュアリティは別様でもありうる。その意味で偶然である。それが可能ということである。しかし、この私が存在しないということだけは想定不可能だ。ゆえに「私はある」。そこでデカルトはこれを確実な現実指標として採用することができたのだった。

しかし、この「私はある」の確実性は、決して自明ではない。それどころか、「私」が指しているものは実は不可能な真理であり、そんなものは存在しえないことをわれわれは見た。その意味で、「現実指標」としての〈私〉は、この不可能性のしるしでもあると言わなければならない。もちろん不可能な事物は存在するはずはない。しかし、不可能であるということのしるしなら、言語ゲームの中で存続することができる。もう一度考えてみよう。子どもが最初に自己同一化する「純粋なシニフィアン」は、すべてのシニフィアンへと参照させるシニフィアンであった。シニフィアンは意味するもののことだから、すべてのシニフィアンは自分以外の何か（それが何であれ）へと参照させる。では、すべてのシニフィアンへと参照させるその純粋なシニフィアンはどうなるか。シニフィアンである以上、それはすべてのシニフィアンの宝庫としての大文字の他者の場所になければならない。が、そうすると自身へと参照させることになってシニフィアンでなくなり、シニフィアンの宝庫の中に入っていることはできない。「純粋なシニフィアン」はシニフィアンであらねばならぬと同時にシニフィアンであってはならぬ、そういうそもそも不可能な何かとして言語活動の中に存続する。この、〈私〉は不可能なものであるという現実、それが「リアル」（現実界）というもう一つの現実にほかならない。

というわけで、「私」という指標詞はそもそも存在しているはずがないものを発話者の上に固定し、かつ語りの世界から消滅させないようにしている、その意味でたしかに特権的な語である。その機能はしたがって、非常に微妙なものだ。それは「私は本当に存在しえているはずがない」という恐るべき現実をリアルなものとして担いながら、根元的解釈の営みが続く限り、それをアクチュアリティとしての現実の中で隠蔽し続ける機能を果たすのである。われわれは「私」がその名前であるところの現実指標に同一化しているので、「私は不可能である」という自分のメッセージを、「お前は不可能なのだ」という反転した形で大文字の他者から受け取るようになっている。だが、デカルトがそうであったように、そんなメッセージを生身の人間のだれが理解し引き受けることができよう。独在的な〈私〉という「われわれの言語の夢[15]」は、それなしに私が私でなくなるような夢なのである。

1　大庭健『私はどうして私なのか――分析哲学による自我論入門』（岩波現代文庫）、2009, pp.206-208.
2　ドナルド・デイヴィドソン『主観的、間主観的、客観的』春秋社、2007, pp.148-149.
3　同上、pp.144-145.
4　以下、ラカンに関しては、『エクリ』に入っている論文「フロイト的無意識における主体の転覆と欲望の弁証法」と「科学と真理」、およびセミネール第11巻『精神分析の四基本概念』（岩波書店）の第16章から第19章までを念頭に置いている。

5　レフ・セミョノヴィチ・ヴィゴツキー『思考と言語』新読書社、2001, pp.65-70.

6　ジャック・ラカン『精神分析の四基本概念』（岩波書店）第16章、第17章。

7　Jacques Lacan, Écrits, Les Éditions de Seuil, 1966, p.813.

8　同上。

9　ジャック・ラカン『精神分析の四基本概念』、第17章。

10　ラカンの「シェーマL」を念頭に置いている。
Jacques Lacan, *Écrits*, Les Éditions de Seuil, 1966, p.53.

11　同書、p.439.

12　大庭、前掲書、p.211.

13　同書、pp.18-35.

14　同書、pp.167-172, pp.197-198. 大庭は、指標詞「私」と固有名「大庭健」は意義が違うだけで指示対象は同じなのに独在論はそれを指示対象の違いにすりかえている、と批判している（p.158)。

15　ウィトゲンシュタイン『哲学的探求』（産業図書、1994）、358、黒崎宏訳、第1部、p.226. 訳は「我々が我々の言語に見るところの夢」となっているが、少し変えている。原語は“ein Traum unserer Sprache”（われわれの言語の夢）。そこでウィトゲンシュタインは、「思うということは何か私的なことである」という考えをどうして笑うことなどできよう、それは「われわれの言語の夢」なのだ、と言っている。

4

命題と《現実》

青山拓央

1

世界には今、少なくとも一人、日本語を読める人間がいる。もしかすると人間ではなく、コンピュータや異星人かもしれないが、とにかくそういう者がいる。というのも、そういう者に今、この文章は読まれているからだ。

冒頭の予言は当たっただろう。だが、これはまともな予言ではない。この予言が当たったからといって、驚く人はだれもいない。しかし、なぜそうなのか。なぜ驚くに値しないのか。

日本語を読める何者かがいることは、この予言が読まれるための条件である。日本語を読める者が世界に一人もいなければ、予言が読まれることはない。このとき予言は命題としては外れているが、しかし、そのことはけっして表面化しない。つまり、この予言は文として真偽が問われるときには、必ず当たる予言なのである。

予言が読まれるための条件を予言自体に含めることで、冒頭の予言のバリエーションが得られる。シンポジウム「〈私〉とは何か」で私が挙げたのは、こんな例だった。「この文章は今、読まれている」。因果的無効力の議論の際に、私はこの例を挙げた。この一文は冒頭の予言よりもさらにトートロジカル（そして無内容）に見える。「今」という語のトークン反射性に基づき、「この文章が読まれているとき、この文章は読まれている」と書き換えることができそうだからだ。

冒頭の予言が面白いのは、それが何かの存在を言い当てていることである。そんなことが可能なのは、予言を読む者の存在もまた、予言が読まれるための条件に含めることができるからだ。同様に、予言そのものの存在もまた、予言が読まれるための条件に含めることができる。つまり、何かを「読む」ことが成立するには、それを読む者の存在と、読まれるその何かの存在がともに必要となる。

「この文章が読まれているとき、この文章は読まれている」という、あからさまなトートロジーでさえ、その真偽が問われるときには、それを読む者とそれ自身との存在が要求される。重要なのは命題と文の区別だ。いま私は命題ではなく文について語っている。文はつねに、紙面のインクやディスプレイ上の光点といった特定の物理的形態から成り、だれかがそれを見ない限り（音声表象であれば聞かない限り）、その真偽が問われることはない。だれにも読まれない（聞かれない）文というものは、文ではなく、たんなる物質にすぎない。

命題ならば、読む者の存在は必要ではないし、読まれるもの（文）の存在もまた必要ではない。とはいえ、命題のこの存在論的なイデア性は、命題という概念がもつ根本的な怪しさだろう。いかなる命題も、実際には何らかの文として人間と接触するのであり、それゆえ、ある命題が人間にとって意味をもつには、読む者と読まれるものの存在がやはり必要となる。

冒頭の予言のような仕方で何かの存在を言い当てるとき、読む者がもつべき条件——たとえば日本語が読めるという条件——を追加していけることは興味深い。この追加は、読まれるものの特性を読む者の特性に変換するというかたちでなされる。つまり、その予言が日本語で書かれているなら、読む者は日本語が読めるのでなければならない、というように。

そのような変換が可能なのは、読む者の特性を読まれるものの特性に変換することもまた可能だからだ。冒頭の予言がたんなるインクの染みではなく日本語であるのは、それを日本語として読む者がいるからである。日本語を読む者がいない場合、予言は日本語の文ではなくなり、予言とも呼べないインクの染みとなる。にもかかわらず、それが予言として読まれるときには必ず日本語の文なのであり、それを読む者は必ず日本語が読めるのでなければならない。

この構造は、いわゆる超越論的論証に似ている。似ているどころか、本論の狙いから言えば、これは超越論的論証の一種である。何らかの現実が成立するためには、主体(=読む者)と世界(=読まれるもの)が相補的に存在しなければならず、その相補性の本質は、認識する主体と認識される世界の形式がぴったりと重なる点にある。この形式の同型性は、現実成立の条件と見なされる。

冒頭の予言への考察を経て、次のように言えないだろうか。現実成立の条件として挙げられるのは、本当は現実成立の「条件」などではなく、現実が仮に成立したならば主体―世界間に必ず現れる形式の同型性にすぎないと。つまり予言の例で言えば、「日本語が読める」と「日本語で書かれている」の同型性――カント風に言えば、たとえば「時間―空間的に認識する」と「時間―空間的に存在する」の同型性――にすぎないと。

そのように言えると私は思う。それでもなお、形式の同型性にすぎないものは現実成立の条件として理解されていくだろう。それは、文にとっての命題にあたるものが世界にはないからだ。主体と世界のどちらの存在も要請しない「命題的世界」とでも言うべきものはない。それゆえ、冒頭の予言がつねに当たるのと同じ理由から、次のカント風予言もつねに当たる――。世界には今、少なくとも一人、時間―空間的に世界を捉える人物がいる。というのも、そういう者に今、世界は時間―空間的に構成されているからだ。

2

以上の話は、シンポジウム「〈私〉とは何か」のどこに関わるのか。〈 〉のなかに入るものは制限されるのか、という話に関わる。シンポジウムでは意図せず、入不二―青山がこの話について対極的な立場をとった（永井は中間的な立場を示唆した）。入不二は〈 〉のなかに何を入れてもよい――ペットボトルでもコンピュータでも――と述べたが、私（青山）は〈 〉のなかに入れられるものは何らかの制限を受けるだろう――その結果「私」や「今」などが入れられる――と述べた。[1]

入不二的観点から言えば、〈 〉の中身への制限など、前節でみた現実成立の「条件」と同様、かりそめのものにすぎない（「入不二的観点」とはいうものの、そこでの見解は後述の通り、永井の旧著での見解と基本的に調和する）。[2] たとえば、人間の認識が現象的にのみ成立するなら、日本語で読まれた予言がつねに日本語で書かれているように、認識された世界はつねに現象的な世界だろう。あるいは、人間の認識が「今」という一時点でのみ成立するなら、予言が読まれるのがつねに「今」であるように、世界が認識されるのはつねに「今」だろう。しかし、これらのことを根拠に、現象的であることや「今」（あるいは「ここ」「私」のような自己反射的基点）であることによって〈 〉の中身を制限するなら、おかしなことになる。なぜならそうした条件は、もしいい〈 〉が成立したならばつねに満たされるものではあっても、〈 〉の成立の可否自体を制限するものではないからだ。

それゆえ入不二の用法で言えば、「私」や「今」を〈　〉に入れるのは伝達のための「方便」にすぎず、〈　〉の表記で言わんとしていることは「無内包」の次元で――〈　〉を「強い意味での現実性」と見なして――捉えられなければならない。つまり〈　〉は、中身が何であれ、それを変えることなく（可能的な百ターレルと現実的な百ターレルが同じものであるように）現実性だけを付加するものなのだ。

この発想は、私にもとてもよく分かる。にもかかわらず、私は次の疑問を払拭できない。〈　〉の中身への制限を全廃してしまえば、この表記で何を言いたかったのか分からなくなってしまうのではないか。ウィトゲンシュタイン風のレトリックにおいて「語りえない」だけでなく、制限を全廃した私自身が、その意図を見失ってしまうのではないか。シンポジウムの日から今日に至るまで、この問題について私は揺れている。

本節ではまず入不二的観点から、現象論的に〈　〉に制限を課すステレオタイプの議論を退けておこう。そして次節からは、伝達の「方便」にすぎないものが果たしている役割を、全体性の問題（後述）と絡めて考えてみたい。

マクタガートは有名な時間論の論文のなかで、「今」を経験の現象性に還元できないことを指摘した。[3]「今」とは、主観的で生々しい現象的経験が位置する時点のことではない。現象的経験は昨日もあったし、明日もあるだろう。たとえば昨日の痛みはもう痛くないが、だからといって、昨日の痛みが現象的経験でなかったわけではないだろう。

「今」を現象的経験と直結させたい論者は、昨日の痛みは現象的経験ではなく、今の時点で構成された何ものか――たとえば想起に基づく構成物――なのだ、と言うかもしれない。そして、真の現象的経験は「今」の時点にしかない、と。しかし、こうした方向をとるなら、時間はけっして流れないだろう。過去・未来を含めた森羅万象は、「今」という無時間的定点から開かれたものとなり、その「今」の世界自体が変化することはありえないからだ。

マクタガートはこの方向をとらない。「今」は現象的経験の有無と独立に理解されなければならない。彼にとっての時間とは、ある出来事をまったく同じ出来事のまま時制的にのみ変化させるものだからだ。昨日の痛みは、それが「今」の痛みであったときと同じ現象的経験でありながら、ただ「今」でないという点においてのみ変化している。その意味で、マクタガートの論じる「今」は〈今〉なのである。

同じことは〈私〉についても言える。〈私〉に付記された〈 〉もまた、現象的経験をもつこととイコールではない。〈私〉以外の他者もまた、過去や未来の私と同様、現象的経験をもっていてかまわない。だからこそ〈私〉の議論は永井の複数の著作において、いわゆる認識論的独我論（他者には現象的経験がないとする独我論）と鋭く区別されてきた。

人称の場合は時制と違って時間の流れにあたるものがないが、それでも、次のように考えることができる。青山拓央が〈私〉であるとき、現象的経験としての青山の歯痛は本当にあるが、もし浅田真央が〈私〉であったなら、青山の歯痛は青山が〈私〉である場合とまったく同じ現象的経験でありながら、本当にはない。〈今〉にせよ、〈私〉にせよ、〈 〉の表記で示されているのは、現象的経験とは別のものである。

現象的経験の所有が〈　〉と無関係だとすれば、それをもとに〈　〉に入るものを制限する（現象的経験をもつものだけを入れる）ことはできない。では、ほかの制限はどうか。結局のところ、いかなる制限もそれが概念的制限である限り――概念的でない制限などない――、〈　〉の制限としてはうまく機能しない。そうした概念的制限はたとえば「自己意識」といったものを特定できるかもしれないが、しかし、そのように特定された相並ぶもののうち、概念的定義を超えてなぜか本当にあるものだけが〈　〉を付記されるに値するからだ。この点で、入不二的観点からの上記の議論は、永井自身の〈　〉論にきわめて忠実なものと言える。

3

シンポジウムの私のセクションでは、なぜ口や手を使って――発話や筆記といった因果的機構のもとで――無内包な〈　〉について語れるのか、という問題を論じた。〈　〉は因果的にも無内包であるから、いわゆる随伴現象説に似た随伴現実説が提起される。現実であることと、現実であると語ることの間に、因果関係が成立しないのである。

この問題に関しては、シンポジウムでの永井の応答を経てもなお、多くの論点が残されるだろう。しかし、それがどのような論点であるかは、シンポジウムでの議論から十分に読み取れるはずなので、ここでは別の角度から無内包性の問題を考えてみたい。

重要なのは次の一歩を認めるかどうかだ。いかなる概念も〈　〉に入るものを制限できないとして、そのことから、いかなるものも〈　〉に入ると言えるのか。

〈　〉がもし、あらゆるものに付くのだとすれば、複数の〈　〉が成立することは可能だろうか。あらゆるものに付くのであれば可能であってもよさそうだが、それを認めることは、〈　〉論の本質的な要素を損なうように思われる。

〈　〉を現実性の表記と見るとき、〈　〉のなかに「ペットボトル」が入るというのは少々奇妙だろう。というのも、ペットボトルが現実である、とはどういうことか分からないからだ。その意味では〈これ〉も〈世界〉も奇妙な表記であり、これらの表記は何らかの命題を省略したものではないかと考えたくなる。つまり〈ペットボトル〉とは、〈特定のペットボトルが在る〉の略記であり、〈これ〉〈世界〉は〈これが在る〉〈世界が在る〉の略記ではないかと。[4]

では〈私〉〈今〉はどうなるのだろう。〈私が在る〉〈今が在る〉の略記と考えてよいのだろうか。いや、ここでは西田幾太郎風の次の表現のほうが望ましい。〈私〉とは〈私において、在る〉の略記であり、〈今〉とは〈今において、在る〉の略記だと。では、私において、あるいは今において、何が在るのか。もちろん「これ」であり「世界」である。「これ」すなわち「世界」は実のところ、そのように在るものとしてしか理解されない。だから結局、上で見たいくつもの表記は、同じ一つのことだけを言っている。それは、〈私において、今において、在る〉ということだ。

特定の〈　〉が他の〈　〉と共存しないという考えは、〈　〉が全体性をもつことから導かれる。すなわち〈　〉が、〈私において、今において、全体として在る〉ことを表しているなら、他の〈　〉というものはありえない。複数の異なる全体が成立することは不可能だからだ。

ふたたび〈ペットボトル〉について考えよう。これが〈特定のペットボトルが在る〉の略記だとすれば、全体性はどう関与するのか。〈ペットボトルａが在る〉ことは、〈ペットボトルｂが在る〉ことや〈ペットボトルｃが在る〉ことと両立可能である。これらはすべていっぺんに現実として成立しうる。ならば〈ペットボトル〉を、〈特定のペットボトルにおいて、全体として在る〉の略記だと解すればよい？　いや、しかし問題は、この「……において、全体として」という内包をどこから得たのかである。

〈ペットボトル〉の場合、こうした全体性を得ることはできない。単純に言って、そこには事実、全体性などない。では〈これ〉や〈世界〉はどうか。先述の通り、〈これ〉〈世界〉が〈私において、今において、在る〉ものだとすれば、そこには〈私〉〈今〉と同様の全体性が認められるだろう。もちろん、このことは逆に言ってもよい。つまり、〈私〉〈今〉には〈これ〉〈世界〉と同様の全体性が認められると。

「世界」とは存在するものの全体であるから定義的に全体性をもつ、という答えは、まさしく定義的な答えであって、ここでは何の役にも立たない。そのような答えが有効ならば、「全体として存在するペットボトルｘ」もまた定義上、全体として存在することになるが、肝心なのは、そのようなものが現実に存在するかどうかである。ペットボトルの場合、勝手にこのような定義（全体として存在する）を与えることが馬鹿げていることは明白だが、しかしこれが馬鹿げているなら、同じ定義を世界に与えることはなぜ馬鹿げていないのか。その理由こそ、全体性の源泉としていま求めているものであり、もちろんそれは定義ではない。

4

〈私において、今において、在る〉ものは、他の〈　〉を排する全体性をもつ。しかし、その全体性はどこから来るのか。その定義上の全体性ではなく、事実上の全体性は？　〈私〉〈今〉の全体性は、現象的光景のパースペクティブ性――特定人物・特定時点から遠近的に限られた全体が開かれているという特性――によって実質を与えられている。つまり、〈　〉の成立にとって不純物であるはずの現象的内包によって。

　現象的光景は、現象の外部のなさにおいて全体性と直結するが、同時に、その光景の原点に似たものを――他者や他時点を――知覚や想起を通じて提供する。より正確にはこう言うべきだろう。原点に位置する対象に似たものを、たとえば他者の眼球などを、現象的に提供する。もちろん、これらの現象的類似物を〈　〉と代置することはできない。そもそも私の眼球でさえ〈　〉と代置することはできない。それでも決定的なのは、私の眼球の類似物が世界にいくつも存在し、自他の言語流通においても同様の位置に置かれていることだ（他者の眼球も世界を「見て」いる）。

　これは瑣末なことではない。他者の眼球から他者（他の原点）に至る試みは、私の眼球から私（この原点）に至る試みと同様、どこかで壁に突き当たるだろう（前者は他我問題に、後者は無主体論に連なる）。しかし、いま求めているのは、壁の乗り越えではなく壁そのものだ。現象に全体性を与える、輪郭としての壁が必要なのだ。フッサールや大森荘蔵はこの壁を越えようとした。あるいは、壁のこちら側から、向こう側にあるものを作ろうとした。[5] この課題それ自体は、永井の〈 〉論と交わらない。しかし、そのような課題を立てられることは、全体性の問題において、〈 〉論と交わる。

現象的光景は、自他の類似性だけでなく、自他の相違性にも実質を与える。後者はいわゆる認識論的独我論の素材として用いられてきたものだ（他者の身体が傷ついても痛くない等々）。現象的光景の特性が〈 〉の全体性の源泉だとしたら、永井の〈 〉論がしばしば認識論的独我論と誤解されてきたことには一定の理由があることになる。〈 〉の外部のなさは、他者や他時点という見えない輪郭が与えられることで初めて意味をもつからだ。

いったん他者や他時点というものを認めたうえで、その内面が見えないのはなぜかと問うのは、話の順序が逆さまだろう。それらは原点に位置する対象に似た外面を携えながらも内面を見せないからこそ、他の原点に位置するものとされる。もし、その内面が見えたなら、他の原点などはそもそも想定されず、〈この〉光景も全体性をもたなかった。輪郭のない全体としての世界は、全体と呼ぶに値しない。

現象論的な上記の内包は、永井が『なぜ意識は実在しないのか』（以下『意識』）で試みているような言語主義的な他者・他時点の構成にとっても、実は不可欠だろう。そこで求められているのは、私と他者が同じ言語を使うことではなく、本当は、私と他者が同じ言語を使っているような現象が在ることである。この違いはきわめて大きい。そしてよく考えてみれば、〈 〉の側からの構成において私と他者が同じ言語を使うことはありえず、認められるのは、私と他者の言語使用の私から見た類似性だけである。他者の「言語」はまず〈この〉現象——たとえば他者の声——として現れ、〈この〉

言語による構成のもとで初めて言語になるのだから。

言語は現象と手を携えて、〈　〉と相並ぶ他の〈　〉を構成する。その構成の累進性は言語の産物かもしれないが、現象がなければ構成そのものが始まらないだろう。シンポジウムでも触れたとおり、言語がただ言語としてあるだけで累進を開始するのだとしたら、そのような〈私〉〈今〉抜きの言語とは何なのか私には理解できない。とくに、それがどのようにして全体性を得るのかを。

ところで入不二的観点から言えば、本節の議論は本来の〈　〉論にとって（永井の旧著の大部分にとっても）きわめて不純な議論だろう。永井自身がシンポジウムで述べているように『意識』は二段階の議論から成り、ひとことで言えば、純粋かつ無内包な〈　〉論と、不純かつ言語主義的構成力をもった〈　〉論がないまぜになっている。私はいま後者の議論に現象的実質を持ち込むことで、不純さをより際立たせるとともに、全体性をより確かなものにした。

本節での疑念を再確認しておこう。どんな命題でも〈　〉に入れられるなら、複数の〈　〉が成立しうるのではないか。現象的光景の特性に依拠して〈　〉の中身を制限しなければ、ある一つの〈　〉の成立が他の〈　〉を排除するという、〈　〉の全体性は得られないのではないか。だとすれば、それを永井の用法で独在性——並び立つもののなさ——と呼ぶことはもうできないかもしれない。

私の理解が正しければ、この問題はウィトゲンシュタイン『論考』における要素命題の独立性の話と関係している。要素命題は互いの真偽が独立しており、ある命題の真偽（現実に成立しているか否か）は、他の命題の真偽に影響を与えない。それゆえ、さきほどのペットボトルの例のように、〈要素命題a〉の成立は〈要素命題b〉の成立とも〈要素命題c〉の成立とも両立可能である。両立不可能なのは、ある要素命題の成立とその要素命題の不成立――現実でありながら現実でないこと――だけだ。

ここには二つの問題が見出せる。ある言語の内部における個々の命題の全体性（他の命題の排除性）の問題と、その言語それ自体の全体性（他の言語の排除性）の問題だ。『論考』では後者の全体性は、言語が〈私〉の（そして無時間的な意味での〈今〉の）言語であることによって保証されているように読める。では、〈私〉〈今〉抜きの言語の場合は？　その言語の全体性は、個々の命題の全体性と癒着してしまうのではないか。つまり、その言語の文法が個々の命題の両立可能性を制限するというかたちでのみ、言語は輪郭をもつのではないか。

言語の文法が両立不可能な命題の組を定めるだけでは、その言語によって構成される世界が全体性をもつとは言えない。文法は、世界をただ一つの全体に限定するほどの拘束力をもたない。もし、それほどの拘束力をもった強力な文法がありえたなら、その文法は様相的表現をいっさい許容しないだろう。主語は、それが現実にもつ述語すべてを、その主語の意味としてもつだろう。その文法は、いわゆる文法的法則だけでなく、既知の科学法則をも、より完全なかたちで取り込んでいる。このとき言語は、諸可能性のうちから一つの全体を構成するのではなく、その一つの全体しか構成することが（そもそも記述することが）できない。

ここで想定されている言語は、世界を形成するロゴスとして、それ自体が――人間と無関係に――完璧な全体性をもつ。しかし私が分からないのは、そのような言語が仮にあるとして、それが、われわれ人間の言語と何の関係があるのかだ。神の言語とも言うべきこのロゴス的言語が、様相的表現を許す人間の言語と同じものであるはずがない。そして人間の言語が、神の言語の似姿である必要もない。

5

さきほど私は、「命題的世界」と呼ぶべきものはない、と述べた。これは再考を要する主張である。というのも、可能的な世界は通常、まさに命題的世界のようなものとして思考されているからだ（分析哲学における「可能世界」はとくにそうである）。そしてこのように考えるとき、〈 〉の無内包性はまた息を吹き返す。

本論冒頭の予言は、一種の超越論的論証によって「日本語を読む者」と「日本語で読まれるもの」の存在を同時に要請した。ところで、この予言が命題として存在できるのなら、そんな要請はなされない。世界に一人も日本語を読める者がおらず、それゆえ、この命題的予言が外れていることはありうる。

可能性についての命題を可能的な世界の代替物と見るなら、たとえば先述のカント風予言が外れていることもありうる。世界を時間─空間的に構成する者が一人もおらず、それゆえ、「世界には今、少なくとも一人、時間─空間的に世界を捉える人物がいる」という予言が外れていることが。

主体（＝読む者）の存在を要請しないことは、世界（＝読まれるもの）の存在を要請しないことと表裏一体だ。命題的世界にとっては、世界を時間─空間的に構成する者がいないことはもちろん、世界が時間―空間的に存在しないことも可能であり、それどころか、世界が存在しない（具体者が何も存在しない）ことさえ可能である。

スピノザ風の考察をするなら、存在論的な上記の表裏一体の理由を、二つの存在は一つだからと答えることもできるだろう。認識主体と認識される世界が同じものであるなら、「読む者」とは、自分で自分を見る者のことだ。このとき、「私に意識がある」と（『意識』で述べられている意味で）言えることは、〈　〉的存在である私と自己意識的存在である私との因果的結合であり、時制的には、〈今〉であることと「今である」という発話・記述との因果的結合である。この因果的結合は同時的であり、それは時間軸に水平な通常の因果関係ではなく、時間軸に垂直な、特殊な因果関係でなければならない。これを「自己原因」と呼ぶことは、哲学史的にも許されるだろう。つまり、先述した随伴現象説の問題は、自己原因の問題としても理解できる。

このスピノザ的考察から疑われるのは、命題的世界の想定は命題的主体の想定を兼ねるのではないか、ということだ。命題的世界という怪しげな概念は、命題的主体という、より怪しげな概念と一体かもしれない。命題的主体は特定の命題的世界に内属しつつ、その世界を言語的に構成する。にもかかわらず、その主体は、文に対する命題がそうであるように、具体者としては存在しない。

可能世界という用語に馴染んでいるなら、次のように考えてもかまわない。現実以外の可能世界は存在しないが、しかし現実と対等な（概念的）中身をもつ、と考えるなら、そこで想定されているのは命題的世界である。そして、個々の可能世界が現実であったとき、そこに住んでいる言語主体としての〈私〉が、命題的主体である。一般的な可能世界論においては命題的主体など登場しないが、それは、すべての可能世界に遍在する命題的主体を置いているからであり、それを「命題的主体」ではなく、たんに「言語」と呼んでいるからだ。言語は全可能世界を開くが、それ自体はどの可能世界にも属さない。

もう一度だけ入不二的観点に立ち、さきほどの自説を退けてみよう。「お前は（青山は）十分、〈私〉〈今〉抜きの〈 〉というものを、そして、現象性に依拠しない現実性というものを理解しているではないか。だからこそ、それが現象的全体性をもつか否かといった話ができたのではないか」そういう話ができたのは、遍在する命題的主体としての言語を前提したからである。そして、本当はそういう話はできないと私が考えるのは、そのような言語は存在しないからである。これは極端な主張ではない。この現実世界以外の世界は存在せず、それゆえ、複数の可能世界で遍在的に使われている言語などない、と言っているにすぎないのだから。

遍在的言語を認めることが、なぜ、〈私〉〈今〉抜きの〈 〉を思考させるのか。それは〈 〉が〈現実〉として理解されるからだ。遍在的言語によって開かれた可能的な世界との対比によって、現実世界は全体性を得る。現実世界は、すべてであることによって全体性をもつのではなく、他の可能的な世界が命題的に在り、それらが輪郭となることで全体性をもつのである。

〈現実〉という表記は、〈 〉を用いた全表記の中でもっとも冗長（同じことを二回言っている）なものであり、もっともオールマイティなものだ。[6]〈現実〉という表記を認めるなら、他の〈 〉の表記がなくとも、これ一つですべて事足りる（たとえば〈私〉と表記するのではなく〈現実〉の「私」と表記すればよい）。そして、あらゆる命題的世界が〈現実〉になることが許される。

前節の議論から明らかな通り、私は〈現実〉という表記を拒否して、〈私〉〈今〉という表記をとりたい。〈私〉〈今〉の現象的光景そして〈私〉〈今〉の言語の側から捉えられた全体については知っていても、〈現実〉の側から捉えられた全体など知らないからだ。ここでも私は、すでに述べたのと同様の主張を繰り返すことになる。他の命題的世界の住人が、私と同じ言語を使っていることなどありえない。同じ言語を使っているような現象だけがありうる。そして命題的世界に関しては、住人を含めた世界そのものが、〈私〉〈今〉における仮想的な現象にすぎない。

にもかかわらず、われわれが可能的な世界をたんなる仮想ではなく、この現実と対等なものとして思考するなら、ふたたび、あらゆる命題的世界が〈現実〉になりうるものと見なされる。それゆえ、「〈 〉の中身は制限される」とのシンポジウムでの私の発言は、「可能世界は――ひいては可能性は――ない」との私の別の発言といっしょに理解されるべきものだ。可能世界がないからこそ、現実世界はその全体性を〈私〉〈今〉から借り受けねばならない。そして可能世界という装置は、〈私〉〈今〉の全体性を真似た仮想的全体としてのみ使用されねばならない。

6

永井はこれまでの著作で何度か、肝心なのは問題が共有されることであり、その問題内部での対立は二次的な事柄にすぎないと述べてきた。その意味で、哲学的な「主張」などないのだと。私もまた本論での主張に絶対のこだわりがあるわけではない。第2節でも記した通り、私は〈 〉の問題について揺れている。本論ではこの揺れの一方の極に立ったが、そのことで、他方の極にあるものが——命題的世界や〈現実〉が——より明確に描き出せただろう。

最後に、シンポジウムでの私の発言から大きな揺れを一つ拾い上げておこう。私は自分の発表の中で、そこにもここにも他の〈これ〉が在る、という直観について語っている。この文章を書いている今もなお、やはりその直観がある。しかしこの直観は、本論の観点よりはむしろ入不二的観点の変種のもとで支えられるべきものではないか。すなわち複数の〈これ〉の両立は、複数の〈命題〉と同様、全体性すらもたない純粋な無内包の〈現実〉として〈　〉を解したときにのみ、理解可能になるのではないか。入不二自身は全体性をもたない〈　〉を認めないだろうが、無内包性の純化を徹底するなら、そのような〈　〉は考慮するに足る。

このような〈　〉を《　》と記し、〈私〉〈今〉の表記を方便として、〈現実〉ではなく《現実》が伝達されると考えてみよう。特定の認識が《現実》となったなら、それは現象的光景の特性のもとで、他の認識を排斥する。しかし、この認識論的な「壁」は《現実》にとって本質的ではない。《現実》にはこうした排斥はなく——排斥するための外部がなく——、いかなる命題も《命題》となりうるし、特定の《命題》の成立／不成立は、他の《命題》の成立／不成立と独立している。

現象的に禁じられている命題の両立や、文法的に禁じられている命題の両立でさえ、《現実》のもとでは許される。一つのリンゴが《赤である》とともに《青である》ことも、《二〇〇グラムである》とともに《三〇〇グラムである》ことも許されるのであり、そのようなことが普通ありえないのは、現象的・文法的な世界認識の《偶然》的特性だとされる。

それだけではない。《現実》の全体性のなさを徹底するなら、一つのリンゴが《赤である》とともに《赤でない》ことさえ許されるだろう。許されるというより、そのどちらもが《現実》であるなら、たんにそれらは《現実》なのである。こうして、論理的な非両立性さえも世界認識の《偶然》的特性とされるなら、もはや、命題から要素命題を絞り込む作業を経るまでもなく、あらゆる命題は《命題》としての独立性をもつ。これは『論考』解釈としては明らかに間違っているが、「命題」解釈としては見るべき価値がある。

〈 〉の独在論を《 》の共在論に展開できるなら、他者や他時点の〈これ〉は、他者や他時点の《これ》として共在する。その共在を認識することは不可能だが、それはたとえば、冒頭の予言が読まれていないときに外れていることが認識不可能なのと同じことだ。認識成立のための条件はもちろん、《現実》成立のための条件ではない。そして、認識が成立することもまた、《現実》成立のための条件ではない。世界にはだれにも知られていない《現実》――自分自身にも《これ》だと知られていない《これ》――がありうるし、世界とは本来、そうした《現実》のことかもしれない。

世界がただ《在る》だけのものであり、それが在ると知られていることが《在る》ことにとって余計だとすれば、意識とは、この余計なものの名前である。問題は、それゆえに意識は〈私〉〈今〉だけのものなのか、ということだ。もしそうなら、在ると知ること――意識――は独在しても、《在る》こと自体は独在しないだろう。独在性はその《現実》にとって、不純な内包となるだろう。

1 ところで、〈　〉のなかに何でも入れられるとしても「過去」や「他者」は入れがたい。これらは通常の存在者ではなく、〈　〉の成り立ちに直接関わるものだからだ。その意味では〈今〉や〈私〉も冗長な表現であって、〈　〉の議論の本質から言えば「今」「私」こそ〈　〉には入らないとも言える。つまり、「今」とは〈時〉のことであり、「私」とは〈人〉のことであるから、〈今〉や〈私〉という表記は同じことを二回言っているというわけだ。それでも「二回言う」ことに価値があるのは、例の累進構造を単一の表記で示せるからだろう。

2 本論で言う「入不二的観点」はシンポジウムでの入不二の発言をもとに私が構成したものであるから、シンポジウム外での入不二の見解と完全に調和するわけではないだろう。その意味では「入不二的観点」と書くより「無内包的観点」と書くほうが適当だと言える。

3 McTaggart, J. M. E, 1908, "The Unreality of Time", *Mind*, 17, pp.457-474.

4 『論考』的な命題論をとるなら、「ペットボトルが在る」のような存在命題は命題とは言えないおそれがある。そこに登場する名は、世界に存在する対象の名でなければならず（存在しない対象には名がない）、それゆえ、ある対象が「在る」と言うことは偽になりえないからだ（『論考』的な命題は真偽の両方をとりうる）。この問題を考慮するなら、〈ペットボトル〉は〈ペットボトルａが在る〉などの略記ではなく、たとえば、〈ペットボトルａはプラスチック製である〉のような述定命題の略記なのかもしれない。しかしこのことは、いま検討している論点に直接的な影響を与えないだろう。というのも、重要なのはペットボトルａが現実に存在するか否かであり、ペットボトルａが「プラスチック製である」などの何らかの述語を現実にもつとき、ペットボトルａが現実に存在することは確かだからだ。

5　こうした「壁の越え方」の議論の下手な再現は省略しよう。それは長大であるとともに、やや退屈な議論――求めている答えを得るために初期値を調整するような――でもある（ただし議論の狙いからいって、この退屈さには価値がある。技巧的な仕方で壁を越えても、それは実状の分析とはならない）。一つだけ述べておきたいのは、他者や他時点を可能的現象の原点として理解する手法への疑念だ。他者や他時点の問題の核心は、それらもまた私や今と同様、可能的にではなく現実に存在するという点にある。シンポジウムでの「可能な私」「可能な今」に関する議論、あるいは本論最終説での議論は、この問題とじかに関係している。

6　現実と〈　〉が本当に同義なら、「現実」という語は存在しえない。それでもなお「現実」という語が共用の語として存在するのは、それが〈　〉性よりも不純な、「弱い」現実性を意味としてもつからだ。たとえば、われわれは間主観的な事実のことを「現実」と言ったりする。〈現実〉という表記が、こうした不純物からも何らかの内包を得ていないかどうかは、検討すべき問題である。

初版あとがき

二〇〇九年三月七日、大阪大学21世紀懐徳堂で公開シンポジウム「〈私〉とは何か——永井均に聞く」が開かれた。古荘真敬の司会で、パネリストは入不二基義、上野修、青山拓央、そして永井均。会場はあっというまに聴衆で埋められ、長時間にわたって議論がなされた。本書はそのシンポジウムの記録を中心としている。

本書の構成は三つの部分からなる。まず、シンポジウムがめぐっていた問題の基本構造の、永井自身による提示。いわゆる永井均の独在的〈私〉の問題である。次にシンポジウム本体の記録。若干の加筆はあるが、ほぼこのとおりの発表と討議がなされた。（パネリストたちのいつもながらの唐突さは司会の古荘を苦悩させ、聴衆の多くを啞然とさせたであろう。それで本書では理解の一助となるよう語句解説を入れている。）そして最後に、四人の後日考。これはシンポジウムを振り返りながら、各自があとで、めいめい勝手に書いたものである。

このシンポジウムは、平成一九年度から二年にわたって行なわれた「〈私〉の言語論的存立構造の哲学的研究」という何度聞いても覚えられない科研の一環である。数度にわたる研究会合が、あるときは山口、あるときは東京で持たれ、上記五名の中心メンバーに加えて郡司ペギオ-幸男、小山悠、勝守真、中野昌宏、三平正明、山田友幸、重田謙、入江幸男が発表参加した。詳細は科研報告書『〈私〉の言語論的存立構造の哲学的研究』（平成一九年～二〇年度科学研究費補助金基盤研究（C）

課題番号19520022、研究代表者上野修）を参照していただきたい。大阪で開かれたこのシンポジウムは一連の研究の総括となるべきものであった。が、こんな問題に総括などあろうはずもない。それは本書をお読みいただければおわかりになると思う。いったい永井の問題はどういう類いの問題なのか、われわれはそれぞれ今も考え続けている。

本にするには講談社の上田哲之氏にお世話になった。哲学の問題がたいていそうであるように、永井の問題は考えるたびに人を唖然とさせる。思考は、これはいったい何なのだ？　と唖然とするところから始まる。この本がそのきっかけになるなら著者たちにとって望外の幸せである。

二〇一〇年五月、著者を代表して、上野　修

永井均（ながい　ひとし）

一九五一年生まれ。慶應義塾大学大学院文学研究科博士課程単位取得。信州大学人文学部教授、千葉大学文学部教授、日本大学文理学部教授を歴任。専攻は哲学・倫理学。主な著書に『存在と時間――哲学探究1』（文藝春秋、二〇一六年）、『世界の独在論的存在構造――哲学探究2』（春秋社、二〇一八年）、『遺稿焼却問題――哲学日記2014-2021』、『独自成類的人間――哲学日記2014-2021』（ともにぷねうま舎、二〇二二年）、『哲学的洞察』（青土社、二〇二二年）、『独在性の矛は超越論的構成の盾を貫きうるか――哲学探究3』など。

入不二基義（いりふじ　もとよし）

一九五八年生まれ。東京大学大学院博士課程単位取得。専攻は哲学。現在、青山学院大学教育人間科学部心理学科教授。主な著書に『現実性の問題』（筑摩書房）、『あるようにあり、なるようになる　運命論の運命』（講談社）、『相対主義の極北』（ちくま学芸文庫）、『哲学の誤読』（ちくま新書）、『足の裏に影はあるか？　ないか？　哲学随想』（朝日出版社）、『時間と絶対と相対と』（勁草書房）など。

上野修（うえの　おさむ）

一九五一年生まれ。専攻は哲学・哲学史。大阪大学名誉教授。主な著書に『スピノザの世界』（講談社現代新書）、『デカルト、ホッブズ、スピノザ——哲学する十七世紀』（講談社学術文庫）、『スピノザ『神学政治論』を読む』（ちくま学芸文庫）、『哲学者たちのワンダーランド——様相の十七世紀』（講談社）、共著に『主体の論理・概念の論理——二〇世紀フランスのエピステモロジーとスピノザ主義』（以文社）、『スピノザと十九世紀フランス』（岩波書店）など。

青山拓央（あおやま　たくお）

一九七五年生まれ。千葉大学大学院社会文化科学研究科単位取得。専攻は哲学（慶應義塾大学より博士号授与）。現在、京都大学大学院人間・環境学研究科准教授。主な著書に『時間と自由意志』（筑摩書房）、『幸福はなぜ哲学の問題になるのか』（太田出版）、『心にとって時間とは何か』（講談社現代新書）、『分析哲学講義』（ちくま新書）など。

本書は『〈私〉の哲学　を哲学する』（二〇一〇年、講談社刊）の復刊である。

〈私〉の哲学　を哲学する

2022年12月20日　初版第１刷発行

著者©＝永井　均、入不二基義、上野　修、青山拓央
発行者＝神田　明
発行所＝株式会社 春秋社
〒101－0021　東京都千代田区外神田2－18－6
電話　(03) 3255－9611（営業）
(03) 3255－9614（編集）
振替　00180－6－24861
https://www.shunjusha.co.jp/
印刷所＝信毎書籍印刷 株式会社
製本所＝ナショナル製本協同組合
装　丁＝木下　悠

ISBN 978-4-393-32406-6 C0010
定価はカバー等に表示してあります